1991

Souvenir Collection of the Postage Stamps of Canada

Collection-souvenir des timbres-poste du Canada

MAIL ⮞ POSTE

Canada Post Corporation / Société canadienne des postes

Published by Canada Post Corporation
Design: Pierre-Yves Pelletier Design incorporée
Computer Treatment: Michel Pelletier
Cover Photograph: Tilt
Cancellation dies: Bernard Reilander
Research: C.R. McGuire, Céline Camirand
Writing: Louise Ellis, Leslie Elizabeth Ebbs (page 14),
Réal Bouvier (page 18)
Adaptation: Translation and Terminology, Canada Post Corporation
Editing: Gary Long, Francine Morel
Visual research: Claude Huguet
Photo retouching: Denis Major
Printing: Metropole Litho Inc.
Co-ordination: Georges de Passillé
Special thanks to Michael Greco,
Canadian Heritage Rivers Secretariat

Publié par la Société canadienne des postes
Design : Pierre-Yves Pelletier Design incorporée
Traitement informatique : Michel Pelletier
Photographie de la couverture : Tilt
Cachets d'oblitération : Bernard Reilander
Recherche : Céline Camirand, C. R. McGuire
Rédaction : Louise Ellis, Leslie Elizabeth Ebbs (page 14),
Réal Bouvier (page 18)
Adaptation : Traduction et terminologie, Société canadienne des postes
Révision : Francine Morel, Gary Long
Recherche visuelle : Claude Huguet
Retouche photographique : Denis Major
Impression : Metropole Litho Inc.
Coordination : Georges de Passillé
Remerciements particuliers à Michael Greco,
Secrétariat des rivières du patrimoine canadien

	Contents	Sommaire

Progress and Prestige:
Canada Post's Newest Products

Canadian postage stamps have earned an enviable reputation all over the world, one that goes back to earlier this century when Canada was producing some of the most exquisitely engraved stamps ever made – stamps like the famous *Bluenose* of 1929.

Times have changed, however. One-colour steel engraving, for example, though still used, has given way to multicolour printing techniques and design approaches, and stamps themselves are now issued in a variety of formats other than large panes. With all these changes, Canada Post Corporation is upgrading an already top-notch stamp program.

Over the last few years, Canada Post has broken new ground with its stamp products and designs. Several innovations were in response to the needs and interests of collectors. Others were made necessary by practical requirements and were adapted for philatelic use and appeal.

This was certainly the case with the new definitive and commemorative booklets. A few years ago, the proliferation of new retail postal outlets created a demand for stamps in a "self-serve" format. As a result, a new generation of definitive stamp booklets first appeared on the market in 1989. Packaged in 10s and 25s for domestic rates, and in 5s for US and international rates, the distinctive red cover features a reproduction of the stamp or stamps contained inside. These definitives are also available in pane format, of interest to more specialized philatelists who wish to collect stamps in both formats. Plans for the next generation of definitive booklets, due to appear in 1992, include a smaller, less packaged product made from recycled cover stock.

Production of this year's commemorative booklets got off to a colourful start with the Public Gardens issue. Even the cover has the visual appeal one has come to expect from commemoratives. The booklet contains 10 stamps as well as illustrated texts about each of the five stamp subjects. Unlike the definitives, these stamps are available in booklet format only, a plus for collectors who buy whole panes since they now need only purchase 10 stamps instead of 25 or 50. They will also appreciate the new open booklets for collectors, which no longer have a glue seal so that the booklet can remain in mint condition.

Toujours à la recherche de l'excellence

Grâce à ses timbres-poste, le Canada jouit d'une renommée à l'échelle mondiale parmi les philatélistes. Il doit son excellente réputation, acquise dès le début du siècle, à l'émission des plus beaux timbres gravés tels que la célèbre vignette reproduisant le *Bluenose* émise en 1929.

Les temps ont changé : bien qu'encore utilisée, la gravure monochrome a cédé la place à une multitude de procédés d'impression qui permettent la production de motifs multicolores. Autrefois offerts qu'en feuilles ou en feuillets, les timbres sont maintenant vendus dans une variété de formats. Par ces changements, la Société canadienne des postes ne cesse d'améliorer son programme de timbres qui, déjà, se démarque.

Au cours des dernières années, la Société canadienne des postes a innové tant dans la conception des produits philatéliques que dans celle des motifs. Certaines des modifications adoptées répondaient aux besoins et aux intérêts des philatélistes; d'autres, apportées par souci de commodité, ont été effectuées tout en tenant compte des critères et des usages philatéliques.

Des besoins précis ont motivé la création des carnets de timbres courants et commémoratifs. En effet, la prolifération des points de vente a fait croître la demande de timbres offerts dans un format pratique. C'est ainsi qu'une nouvelle gamme de carnets de timbres courants a été lancée en 1989. La couverture des carnets de dix et de vingt-cinq timbres au tarif du régime intérieur ainsi que des carnets de cinq timbres au tarif des envois à destination des États-Unis et du régime international est ornée d'une reproduction du timbre sur un arrière-plan rouge bien distinct. Ces timbres sont également offerts en feuilles, ce qui peut intéresser le philatéliste qui désire se procurer les deux formats. La prochaine génération de carnets de timbres courants verra le jour en 1992. Plus petit, leur emballage sera fabriqué de papier recyclé.

Cette année, l'émission haute en couleur sur les jardins publics a marqué le lancement des carnets de timbres commémoratifs. Même leur couverture possède l'attrait visuel qu'on associe aux timbres commémoratifs. Chaque carnet comprend dix timbres ainsi que des textes illustrés sur les sujets qui forment les cinq motifs. Contrairement aux timbres courants, ces vignettes ne sont offertes qu'en carnets. Les philatélistes qui collectionnent les feuilles ou feuillets entiers y verront un avantage puisqu'ils n'ont à se procurer que dix au lieu de vingt ou même cinquante timbres. En outre, ils peuvent enrichir leur collection de carnets ouverts qui, n'ayant pas à être décollés, demeurent en parfait état.

Another innovation, which managed to solve a host of problems, was the Quick Stick – a self-adhesive stamp introduced in 1989. Available only in booklets, Quick Sticks are easier to use, more hygienic and convenient to carry. Because Canada Post had never made self-adhesive stamps before, new manufacturing techniques and extensive testing were required, as well as two obvious changes: corners had to be rounded and the edges die-cut rather than perforated.

Other less apparent changes proved to be of interest to collectors. The water-soluble barrier coating under the adhesive, for example, makes it possible to soak stamps off envelopes without any residue left on the stamps. (Unlike other stamps, Quick Sticks can be mounted with the backing still intact.) As well, the paper surface is made to accept high-quality printed images and tagging, and both the glue and paper used are extremely durable.

In 1990, Canada Post introduced an entirely new stamp presentation vehicle – the Prestige Booklet – a handsomely produced publication designed to encourage joint sponsorship with institutions and private enterprise in promoting a number of worthy subjects. Two have been issued so far – one in 1990 on Canada's postal service, and a second in 1991 featuring Queen's University. These booklets combine interesting reading and full-colour illustrations, and are of particular interest to collectors.

Le « timbrexpress », une vignette autocollante lancée en 1989, a permis de résoudre une foule de petits problèmes d'affranchissement. Offert en carnets seulement, le timbrexpress est facile à utiliser, hygiénique et se garde facilement à portée de la main. Puisqu'il s'agissait du premier timbre autocollant qu'émettait la Société canadienne des postes, de nombreux tests ont dû être effectués et de nouvelles techniques essayées avant d'aboutir à sa forme définitive.

Le timbrexpress se distingue du timbre-poste régulier par deux caractéristiques évidentes : ses coins arrondis et ses bords non dentelés découpés à l'emporte-pièce. D'autres particularités, telles que la qualité du papier et le type de gomme, présentent un intérêt certain pour les philatélistes. Se trouve sous la gomme une pellicule hydrosoluble qui permet de décoller les timbres apposés en les faisant tremper, mais sans laisser de résidu sur le timbre. (Contrairement aux autres timbres, le timbrexpress à l'état neuf peut être collé au moyen d'une charnière sans que soit abîmé son support.) Le type de papier utilisé permet l'impression d'images de grande qualité ainsi que le marquage. Tant la colle que le papier résisteront aux effets néfastes du temps.

Un nouveau produit a été lancé en 1990 : le livret de prestige. Au moyen de ces carnets, la Société canadienne des postes désire encourager la participation, à titre de commanditaires, d'institutions et d'entreprises privées et publiques à l'émission de timbres. De cette façon, elle peut, en collaboration avec les entreprises choisies, promouvoir une variété de sujets importants. Jusqu'à maintenant, deux livrets de prestige ont été produits : l'un portant sur le système postal au Canada (1990), l'autre sur l'université Queen's (1991). Outre des renseignements intéressants et des illustrations en couleurs, les livrets possèdent d'autres caractéristiques pouvant intéresser les philatélistes.

Many innovations in stamp design have been made solely with the collector in mind. The panes of the Forests, Canada Day and Prehistory commemorative series, for example, have wide margins featuring additional information, illustrations and other decorative elements. These panes also contain fewer stamps and therefore cost less to buy.

Other breakthroughs in stamp production and design include foil stamping, used in the commemorative series Masterpieces of Canadian Art, and special multicolour printing such as the nine-colour lithography used in the 1989 Mushroom stamp set. These and other eye-catching features appeal as much to stamp users as they do stamp collectors.

Canada's stamps and stamp products also serve as our emissaries abroad, enhancing the already high regard Canadian philately enjoys the world over. It is a reputation built on the quality and painstaking effort that go into each and every stamp. No surprise then that the *Souvenir Collection of the Postage Stamps of Canada* has been a bestseller since it first appeared.

Les motifs des timbres-poste ont également subi de nombreux changements afin d'accroître leur intérêt philatélique. Tel a été le cas des émissions consacrées aux forêts (1990), à la fête du Canada et aux formes de vie préhistoriques dont les marges extra-larges contenaient des renseignements supplémentaires, des illustrations ou d'autres éléments décoratifs. Étant donné le nombre réduit de vignettes, les feuillets coûtaient moins cher.

Parmi les autres percées aux chapitres de la conception et de la production de timbres-poste, on note l'usage d'estampage métallique dans l'impression des timbres commémoratifs tels que ceux consacrés aux chefs-d'œuvre de l'art canadien ainsi que l'usage d'une grande variété de couleurs spéciales; le jeu sur les champignons, émis en 1989, comprenait neuf couleurs. Ces procédés et d'autres destinés à attirer tant le simple expéditeur de courrier que le philatéliste averti sont appréciés.

Les timbres-poste du Canada représentent le pays à l'étranger. Grâce à leur qualité et au soin apporté à chaque émission, ils aident à perpétuer son excellente image. Il n'est donc point surprenant que la *Collection-souvenir des timbres-poste du Canada* soit un bestseller depuis son lancement.

Canadian Physicians: Four Medical Mavericks

Some of Canada's most renown physicians did far more than heal the sick – they revolutionized the means of doing so.

Until the 1860s, the medical profession in Canada was all but closed to women. It was Jennie Trout, however, who would help to change all that. After graduating from a medical school in the United States, Trout in 1875 became the first Canadian woman licensed to practice medicine. After seven exhausting years of clinical work, she decided to devote her energies instead to establishing a medical college for women in Kingston – an institution that paved the way for sexual equality in medical education and practice.

The celebrated physician Frederick Banting is credited with one of the most important medical achievements in modern time – discovery of the pancreatic hormone known as insulin, which has enabled diabetics to live longer, healthier lives. Under the direction of J.J.R. Macleod and aided by biologists Charles Best and J.B. Collip, Banting conducted experiments on dogs in a crude physiology lab at the University of Toronto in 1921, and by the following year, insulin was ready for use on diabetic patients. So spectacular were the results that Banting was eventually awarded the Nobel Prize for medicine.

Chefs de file de la médecine au Canada

Certains des plus grands médecins canadiens ne se sont pas contentés de guérir les malades : ils ont révolutionné les façons de les soigner.

Au Canada, la profession médicale a été interdite aux femmes jusqu'aux années 1860. C'est grâce aux efforts du Dr Jennie Trout que la situation a évolué. En 1875, après avoir obtenu son diplôme d'une école de médecine américaine, le Dr Trout est devenue la première Canadienne autorisée à pratiquer la médecine au pays. Prenant sa retraite après sept années de travail ardu, elle s'est consacrée à l'établissement du *Women's Medical College* à Kingston dont la création a marqué le début de la reconnaissance du droit des femmes à obtenir une formation médicale et à pratiquer.

C'est à Frederick Banting, médecin bien connu, que l'on attribue l'une des plus importantes découvertes médicales des temps modernes : l'extraction de l'insuline, une sécrétion hormonale du pancréas. L'injection de cette solution à un diabétique permet de maîtriser la maladie et, de ce fait, de lui sauver la vie. Au cours de 1921, en collaboration avec Charles Best et d'autres chercheurs, le Dr Banting a mené des expériences sur des chiens dans un laboratoire de physiologie de l'université de Toronto. En dépit d'un manque de ressources matérielles, l'équipe a réussi à produire de l'insuline pouvant être administrée à des diabétiques hospitalisés. En raison des résultats exceptionnels de ses recherches, le Dr Banting a reçu le prix Nobel de la médecine.

Dr. Jennie Trout; the Montreal Neurological Institute; Dr. Frederick Banting. Curare first used.

Le Dr Jennie Trout, l'Institut neurologique de Montréal et le Dr Frederick Banting. L'utilisation originale du curare.

Specifications

Denomination:	4 x 40¢ (se tenant)
Date of Issue:	15 March 1991
Design:	René Milot
Printer:	Ashton-Potter Limited
Quantity:	15,000,000
Dimensions:	30 mm x 36 mm (vertical)
Printing Process:	Lithography in five colours
Pane Layout:	50 stamps

Données techniques

Valeur :	4 x 0,40 $ (se tenant)
Date d'émission :	15 mars 1991
Design :	René Milot
Imprimeur :	Ashton-Potter Limited
Tirage :	15 000 000
Format :	30 mm sur 36 mm (vertical)
Procédé d'impression :	lithographie en cinq couleurs
Présentation de la feuille :	50 timbres

One of the world's foremost neurosurgeons and neurologists, Dr. Wilder Penfield explored the mysteries of the human brain and mind, and made invaluable discoveries relating to memory, speech mechanisms and the causes and treatment of epilepsy. Perhaps Penfield's greatest legacy was the unique way he combined science and surgery – an approach that was to guide him in creating the Montreal Neurological Institute in 1934. Part hospital, part research and teaching facility, the "Neuro" became a model for similar centres throughout the world.

Dr. Harold Griffith's claim to medical fame dates back to an appendectomy he performed on a young plumber at Montreal's Queen Elizabeth Hospital in 1942. For the first time in any operating room, anesthetist Griffith administered curare, a poisonous plant extract used by South American Indians to paralyze their victims. Griffith's use of this age-old muscle relaxant dramatically changed anesthesia, and surgery in general, by reducing suffering, saving lives and making surgical miracles possible.

Artist René Milot of Toronto did the artwork for these four commemorative stamps, each with a portrait of the physician in front of the building associated with his or her particular achievement.

Wilder Penfield compte parmi les plus grands neurochirurgiens et neurologues. En tentant de percer les mystères du cerveau humain, le Dr Penfield a levé le voile sur le fonctionnement de la mémoire, sur les mécanismes du langage ainsi que sur les causes de l'épilepsie et son traitement. Sa plus importante contribution demeure la façon dont il a marié science et chirurgie, approche qui l'a conduit à fonder l'Institut neurologique de Montréal en 1934. Consacré à la recherche et à l'enseignement, l'hôpital a servi de modèle à d'autres centres à vocation semblable dans le monde entier.

En 1942, Harold Griffith est parvenu à la célébrité lorsqu'il a opéré de l'appendicite un jeune plombier âgé de 20 ans à l'hôpital Queen Elizabeth de Montréal. En effet, c'est au cours de cette intervention historique qu'il a été le premier anesthésiste à administrer du curare. Les Indiens d'Amérique du Sud enduisaient leurs flèches de cet extrait de plante afin de paralyser leurs adversaires. L'utilisation de cet ancien relaxant musculaire a révolutionné l'ensemble des méthodes d'anesthésie et de chirurgie et a permis de réduire la souffrance des opérés, de sauver des vies et d'accomplir des miracles dans le domaine chirurgical.

Les timbres ont pour motif le portrait des quatre médecins qu'a peint l'artiste torontois René Milot. Derrière chacun de ces illustres personnages figure l'édifice qui a été le théâtre de leur plus grande contribution à la médecine.

Prehistoric Life in Canada: The Age of Primitive Vertebrates

One of paleontology's tiniest mysteries is a microfossil called a conodont. Measuring anywhere from 0.2 to 6 mm long, conodonts are the most commonly found fossils in marine sedimentary rocks dating from the Cambrian to the Triassic periods – 510 to 208 million years ago. Tooth-like in appearance, conodonts are actually the mouth parts of small, primitive eel-like animals. Abundant and widely distributed, conodonts are invaluable fossils for dating different layers of rock.

For hundreds of millions of years, the sea teemed with life while the land remained barren. It was not until 410 to 355 million years ago during the Devonian period that land plants established themselves, providing vertebrates with a rich and protected habitat and the opportunity to evolve into land dwellers. One of the earliest giant trees was *Archaeopteris halliana*, which reproduced by spores and had fern-like leaves. Once considered an ancient fern, it is actually from an extinct group of pre-seed plants dating from about 360 million years ago.

The Devonian period is important for its fish species and the early amphibians that evolved from them. As new plant life raised the oxygen level of the atmosphere, it became possible for larger animals to live by breathing air. Certain fish as a result developed lungs, as well as fins resembling short stubby limbs. *Eusthenopteron foordi* was one such "lobe-finned" fish, which lived about 370 million years ago.

L'âge des premiers vertébrés au Canada

Les microfossiles appelés conodontes, dont la taille varie entre 0,2 et 6 mm, représentent l'un des plus petits mystères de la paléontologie. Ce sont les créatures préhistoriques les plus couramment observées dans les roches sédimentaires marines des périodes cambrienne et triasique, datant de 510 à 208 millions d'années. Même s'ils ressemblent à des dents, les conodontes constituent une partie complète de la mâchoire d'un animal primitif qui rappelle l'anguille. Abondants en maints endroits, ils contribuent largement à dater les différentes couches de roches.

Pendant des centaines de millions d'années, des formes de vie de toutes sortes ont peuplé la mer; la terre, elle, était stérile. La période du dévonien – il y a de 410 à 355 millions d'années – a vu la naissance des premières plantes terrestres qui ont permis aux vertébrés de s'installer en leur offrant nourriture et protection. L'un des premiers arbres géants, l'*Archaeopteris halliana*, se reproduisait par spores et portait des feuilles ressemblant à des fougères. Autrefois considéré comme une fougère primitive, cet arbre fait partie en réalité d'un groupe de plantes non porteuses de graines qui datent d'environ 360 millions d'années et qui sont à présent éteintes.

Le dévonien est aussi reconnu pour ses poissons et leurs descendants amphibiens. Après l'arrivée des plantes, le niveau d'oxygène dans l'atmosphère s'est élevé, permettant à certains animaux de sortir de l'eau pour vivre sur la terre. Ainsi, bon nombre de poissons ont acquis des poumons et des nageoires comparables à de courts membres tronqués. L'*Eusthenopteron foordi* compte parmi ces poissons dotés de nageoires à lobes, qui vivaient il y a environ 370 millions d'années.

Primitive tree and fish fossils. Fossil digs in Miguasha, Quebec.

Fossiles d'arbre et de poissons primitifs. Poursuite des fouilles à Miguasha (Québec).

During droughts, it was able to breathe air and waddle overland looking for water. As well, with an abundance of food and no threat of predators, the land offered an inviting alternative environment. The amphibians that evolved from these fish, however, were still ill-equipped to live solely on land.

Capable de se dandiner sur la terre ferme et de respirer l'air ambiant, il pouvait, en temps de sécheresse, passer d'un point d'eau à un autre. La terre représentait pour lui un habitat attrayant : elle lui offrait amplement de nourriture et lui permettait de se protéger contre ses prédateurs. Malgré cela, les

Specifications

Denomination: 4 x 40¢ (se tenant)
Date of Issue: 5 April 1991
Design: Rolf Harder
Engraving: Larry Bloss
Printer: Ashton-Potter Limited
Quantity: 15,000,000
Dimensions: 40 mm x 30 mm (horizontal)
Printing Process: Lithography in five colours
Pane Layout: 20 stamps

Données techniques

Valeur :   4 x 0,40 $ (se tenant)
Date d'émission :   5 avril 1991
Design :   Rolf Harder
Gravure :   Larry Bloss
Imprimeur :   Ashton-Potter Limited
Tirage :   15 000 000
Format :   40 mm sur 30 mm (horizontal)
Procédé d'impression : lithographie en cinq couleurs
Présentation du
feuillet :   20 timbres

It was reptiles that managed to overcome the limitations of amphibians about 300 million years ago in the Carboniferous period. One key difference was that reptiles laid their eggs on land. Fertilized inside the female and protected by a shell, the self-contained eggs produced young that from birth were ready to live on land. One of the earliest reptiles was *Hylonomus lyelli*, a lizard-like creature which, because of its diet of insects, had to be more agile and active than amphibians. Later reptiles – including the mighty dinosaurs – evolved and diversified to such an extent that they were the dominant life form for 140 million years.

Designed by Rolf Harder of Montreal, this is the second set in a series featuring Canadian prehistoric life. The designs are based on actual fossil specimens found in various parts of Canada.

amphibiens qui dérivèrent de ce type de poisson ne se sont jamais adaptés suffisamment pour vivre uniquement sur le continent.

Pendant le carbonifère, il y a 300 millions d'années, les reptiles sont parvenus à se libérer des liens qui avaient maintenu les amphibiens à demi prisonniers de l'eau. Le facteur déterminant de leur succès tient au fait qu'ils pondaient leurs oeufs sur la terre. Fertilisés à l'intérieur de la femelle et protégés par une coquille, les oeufs produisaient des petits aptes à vivre sur la terre dès leur naissance. L'un des premiers reptiles fut l'*Hylonomus lyelli*, dont l'apparence rappelle celle du lézard. Se nourrissant d'insectes, il devait être plus rapide et plus agile que les amphibiens. Les reptiles qui suivirent – y compris les puissants dinosaures – évoluèrent et se diversifièrent de telle sorte que leur règne dura 140 millions d'années.

Conçu par Rolf Harder de Montréal, ce jeu de timbres est le deuxième d'une série consacrée à la vie préhistorique au Canada. Les motifs ont été créés à partir de spécimens de fossiles découverts dans différentes régions du pays.

Masterpieces of Canadian Art:
Forest, British Columbia

Emily Carr (1871-1945) was a misfit from the beginning. The repressive social and artistic climate of Victoria, British Columbia – where Carr was born and lived most of her life – was hostile to her unconventional, independent spirit; and although her painting career as a result was plagued by rejection, poverty and isolation, her indomitable will and her need for artistic expression would eventually make her one of Canada's best-known painters.

Carr's isolation was perhaps as much a stimulus to her creativity as it was a hindrance. Venturing deeper into the dense rain forest of the Pacific Northwest, she found herself spending more and more time in remote Indian settlements, enduring often harsh conditions in order to capture their culture on canvas, in particular their totem poles. Yet by the time she was in her early forties, the lack of both financial and moral support forced her to take up another livelihood, and she spent the next fifteen years running a boarding house, painting only rarely.

La forêt au coeur
de l'œuvre d'Emily Carr

Emily Carr ne s'est jamais intégrée à la société. Elle est née en 1871 et a passé la majeure partie de sa vie à Victoria en Colombie-Britannique, où le climat de répression sociale et artistique était très hostile à son esprit indépendant et excentrique. Aussi sa carrière de peintre a-t-elle été minée par le rejet, la pauvreté et l'isolement. Malgré cela, mue par une volonté de fer et un besoin irrépressible de s'exprimer, elle devint l'une des plus célèbres peintres canadiennes.

L'isolement de l'artiste a probablement autant contribué à sa créativité qu'il y a nui. S'aventurant de plus en plus loin dans les profondeurs des forêts pluviales tempérées, elle s'arrête dans les villages indiens de la côte nord-ouest pour capturer sur canevas la culture des autochtones, et plus particulièrement leurs totems. Les conditions de vie auxquelles elle est alors confrontée sont parfois très difficiles. Lorsqu'elle atteint la quarantaine, le manque d'argent et d'encouragement la force à chercher un autre gagne-pain. Ainsi, pendant les quinze années qui suivent, elle exploite une pension et ne peint que rarement.

Self-portrait,
Emily Carr; *Heina.*
House Post,
Tsatsinuchomi, B.C.

Autoportrait,
Emily Carr et *Heina.*
Poteaux sculptés,
Tsatsinuchomi, C.-B.

In 1927, the National Gallery of Canada invited her to take part in an exhibition, where she met the Group of Seven. The encouragement and inspiration she got from that encounter changed her whole outlook. Soon, at age 57, she would be back with the brush, producing the most original and successful work of her career.

Carr eventually turned from her Indian subjects to the silent, brooding forest itself. Her paintings became imbued with the "bigness of nature", every tree "weighted with sap, burning green in every leaf". Typical of these later paintings was *Forest, British Columbia*. Massive and muscular, the painting embodies

En 1927, la Galerie nationale du Canada l'invite à participer à une exposition où elle fait connaissance avec les membres du Groupe des sept. Cette rencontre est pour elle une source inestimable de motivation et d'inspiration. Elle se met donc à peindre sitôt son retour et produit, à l'âge de cinquante-sept ans, les œuvres les plus originales et les plus célèbres de toute sa carrière.

Carr délaisse bientôt les sujets amérindiens pour privilégier la forêt. Ses nouvelles toiles sont imprégnées de la majesté de la nature : chaque arbre est chargé de sève et chaque feuille, colorée d'un vert ardent. L'œuvre *Forest, British Columbia* en est un exemple

Specifications

Denomination:	50¢
Date of Issue:	7 May 1991
Design:	Pierre-Yves Pelletier
Printer:	Ashton-Potter Limited
Quantity:	10,500,000
Dimensions:	40 mm x 48.5 mm (vertical)
Printing Process:	Six colour lithography with two metallic foil stamping
Pane Layout:	16 stamps

Données techniques

Valeur :	0,50 $
Date d'émission :	7 mai 1991
Design :	Pierre-Yves Pelletier
Imprimeur :	Ashton-Potter Limited
Tirage :	10 500 000
Format :	40 mm sur 48,5 mm (vertical)
Procédé d'impression :	lithographie en six couleurs avec estampage à chaud en deux couleurs
Présentation du feuillet :	16 timbres

the power that Carr saw in her beloved rain forest, drawing the eye into its sacred depths.

Despite failing health, Carr painted passionately and prolifically for most of her remaining years, though she did devote more time to writing, which she had taken up in the 1920s. Although widespread acclaim for her painting did not come until after her death, she had succeeded in conveying her most deeply held beliefs and feelings about nature: "Everything is alive. The air is alive. The silence is full of sound. The green is full of colour. Light and dark chase each other..."

As a tribute to Emily Carr's unique talent, *Forest, British Columbia* has been exquisitely reproduced on this year's stamp – the fourth in a series on Canadian masterpieces designed by Pierre-Yves Pelletier of Montreal.

typique. Massive et robuste, cette peinture incarne la puissance que Carr a su percevoir; l'œil est attiré vers les profondeurs sacrées de cette forêt que l'artiste aimait tant.

Malgré sa santé déclinante, Carr, passionnée, profite des années qu'il lui reste pour peindre de nombreuses toiles. Elle consacre toutefois plus de temps à l'écriture, activité qu'elle avait entreprise dans les années 1920. Bien que son œuvre n'ait été reconnue qu'après sa mort, elle a réussi à transmettre ses croyances et ses sentiments les plus profonds face à la nature. Carr avait la conviction que tout était vivant : l'air, le silence rempli de sons, le vert des feuilles teinté de mille nuances et l'ombre et la lumière se faisant la chasse.

En hommage au talent unique d'Emily Carr, la toile *Forest, British Columbia* a été reproduite avec finesse sur ce timbre, quatrième de la série sur les chefs-d'œuvre de l'art canadien, qu'a conçu Pierre-Yves Pelletier de Montréal.

DAY OF ISSUE
JOUR D'ÉMISSION
1991.05.22
HAMILTON, ONTARIO

A Tradition of Beauty:
Public Gardens in Canada

The Victorian belief in nature's power to refresh the spirit spawned the creation of British landscape gardens in Canada in the 1800s. By the turn of the century, ornamental gardening was viewed as a civic duty – railway stations were embellished to impress settlers, and public gardens graced many villages. Although the science of botany has since given gardens a more practical purpose, their roots remain firmly planted in the romantic tradition of beauty.

Halifax Public Gardens was founded in 1836 for the stimulation and enjoyment of the Halifax Horticultural Society. Now a national historic site, the garden – with its rich floral displays and geometric carpet gardens – survives as a rare example of the formal Victorian public garden.

The Montreal Botanical Garden is located on 73 hectares of land in the heart of Montreal. The garden was founded in 1931 by Brother Marie-Victorin to improve plant cultivation and broaden the understanding of plant nature. Today, it houses collections of some 26,000 species from across the globe.

Les jardins publics du Canada :
une tradition de beauté

À l'époque victorienne, on croyait aux bienfaits de la nature sur l'esprit. C'est pourquoi on créa dans les années 1800 les premiers jardins anglais au Canada. Au tournant du XXe siècle, le jardinage d'agrément était devenu un devoir civique : les gares étaient enjolivées de fleurs pour impressionner les colons qui arrivaient et des jardins publics égayaient les villages. Même si la botanique a depuis donné aux jardins un caractère plus pratique, ceux-ci demeurent fermement implantés dans la tradition romantique de la beauté.

Les Jardins publics d'Halifax ont été aménagés en 1836 par la *Nova Scotia Horticultural Society* dans le but de stimuler l'intérêt du public pour l'horticulture et la botanique. Aujourd'hui site historique, ces jardins regroupent des arrangements floraux complexes et des parterres aux formes géométriques. Ils représentent un des rares exemples de jardin classique de type victorien.

Le Jardin botanique de Montréal occupe soixante-treize hectares en plein cœur de Montréal. Il a été fondé en 1931 par le frère Marie-Victorin en vue d'améliorer la culture des plantes et de mieux sensibiliser le public au règne végétal. On y trouve des collections de quelque vingt-six mille espèces issues des quatre coins du monde.

The Butchart Gardens, Montreal Botanical Garden and International Peace Garden. Band shell at the Halifax Public Gardens.

Sections des jardins Butchart, du Jardin botanique de Montréal et du Jardin international de la paix. Kiosque à musique des Jardins publics d'Halifax.

The transformation of a gravel pit in Hamilton, Ontario, into a horticultural showpiece marked the beginning of the Royal Botanical Garden. Opened in 1930, the RBG is one of the most extensive botanical gardens in North America, comprising 1,000 hectares of forests, farmland, gardens and marshes.

Henry Moore of Islington, Ontario, founded the International Peace Garden in 1932 to celebrate the spirit of friendship between Canada and the United States. This beautiful garden straddles an expanse of Manitoba forest and North Dakota farmland near the geographical centre of North America.

The wife of a wealthy cement industrialist, Jenny Butchart began gardening on her estate near Victoria, B.C. in 1904. Tired of looking at the abandoned quarry on her property, she decided to turn the eyesore into a lavish sunken garden for the public to enjoy. Today, Butchart Gardens is the country's largest privately owned garden.

À Hamilton, en Ontario, la transformation d'une carrière en un lieu horticole marque la naissance des Jardins botaniques royaux. Ouverts en 1930, ces jardins couvrent mille hectares de bois, de terres agricoles, de jardins et de marais, et sont parmi les plus importants jardins botaniques du continent.

Henry Moore, d'Islington en Ontario, a créé en 1932 le Jardin international de la paix pour souligner l'amitié qui unit le Canada et les États-Unis. Près du centre géographique de l'Amérique du Nord, ce magnifique jardin embrasse une réserve forestière du Manitoba et des terres agricoles du Dakota du Nord.

En 1904, Jenny Butchart, épouse d'un riche pionnier de l'industrie du ciment, se met à jardiner dans son domaine près de Victoria. Elle entreprend d'embellir la carrière abandonnée qui se situe sur sa propriété pour en faire un somptueux jardin en contrebas. Aujourd'hui, les jardins Butchart sont les plus importants jardins privés au pays.

Specifications

Denomination:	5 x 40¢ (se tenant)
Date of Issue:	22 May 1991
Design:	Gerard Gauci, David Wyman
Printer:	Ashton-Potter Limited
Quantity:	15,000,000
Dimensions:	30.5 mm x 40 mm (vertical)
Printing Process:	Lithography in five colours
Pane Layout:	10 stamps

Données techniques

Valeur :	5 x 0,40 $ (se tenant)
Date d'émission :	22 mai 1991
Design :	Gerard Gauci, David Wyman
Imprimeur :	Ashton-Potter Limited
Tirage :	15 000 000
Format :	30,5 mm sur 40 mm (vertical)
Procédé d'impression :	lithographie en cinq couleurs
Présentation du feuillet :	10 timbres

Five unique gardens from across Canada are the subject of this commemorative stamp issue on public gardens in Canada. Although each is strikingly different, they share an unspoken respect for the joys of beauty.

Designer David Wyman and illustrator Gerard Gauci chose a bird's-eye view of the gardens and their winding pathways to draw us beyond the boundaries of their images. The foreground of each stamp is adorned with a spray of flowers special to the garden depicted.

Ces cinq chefs-d'œuvre de l'horticulture, situés dans différentes régions du pays, font l'objet d'un jeu de timbres commémoratifs réunis sous le thème des jardins publics au Canada. Chaque site, bien qu'unique en son genre, rend un même hommage paisible à la beauté.

David Wyman, graphiste, et Gerard Gauci, illustrateur, ont choisi une vue représentative des jardins, donnant un aperçu saisissant de la végétation luxuriante qui s'y étale. Chaque timbre est orné de fleurs dont l'espèce est associée au jardin illustré.

Canada Day: Having Fun, Canadian Style

Canada's birthday is probably celebrated in more ways than any other Canadian holiday. Depending on the location, festivities may include a musical concert, an air show, a street dance, a softball tournament, a parade or a film festival. There are also some not-so-traditional ways of observing Canada Day. The Japanese community in Winnipeg, for example, made a thousand paper birds one year and launched them as part of an air spectacular, and each year in Eston, Saskatchewan, residents hold the World Championship Gopher Derby at the local fair.

Nevertheless, there is one thing people everywhere in Canada enjoy on July 1 and that is the fireworks. For many Canadians, Canada Day is not Canada Day without the dazzling display of lights and colour against the evening sky, whether it is Roman candles and sparklers enjoyed in the backyard or a laser-assisted extravaganza on Parliament Hill. Even in the far north where the sky stays light, there are special fireworks that produce coloured cloud effects and plenty of noise.

La fête du Canada, symbole de la joie de vivre du peuple canadien

Plus que tout autre jour férié, la fête du Canada est à l'origine d'activités des plus variées. Concert, smorgasbord, spectacle aérien, danse dans la rue, tournoi de softball, parade et festival de films..., le programme de la journée est au choix des villes et des localités. Toutefois, certaines façons de souligner l'occasion se distinguent par leur originalité. Une année, la communauté nipponne de Winnipeg a fabriqué quelque mille oiseaux de papier pour les lancer pendant un spectacle aérien. Tous les ans, les résidents de Eston, en Saskatchewan, capturent des rats des sables afin de les inscrire à un derby international qui se tient dans le cadre d'une foire locale.

Partout au pays, un événement fait l'unanimité : les feux d'artifice! Pour nombre de Canadiens et de Canadiennes, la fête du 1er juillet culmine lorsque jaillissent dans le ciel obscur des éclats de couleurs, qu'il s'agisse d'une simple chandelle romaine et de quelques baguettes à étincelles allumées dans le jardin ou du spectacle grandiose sur la Colline du Parlement qui incorpore des effets créés au moyen de lasers. Dans le Nord canadien, des feux d'artifice spéciaux qui produisent des nuages colorés et beaucoup de bruit compensent le manque d'obscurité.

July 1: an occasion for joy and celebration.

Le 1er juillet, la joie est de toutes les fêtes.

Canada Day is of course only one of many occasions for celebrating during the year. Besides national statutory holidays, most provinces have holidays of their own, including Quebec's St-Jean-Baptiste Day on June 24, and the Yukon's Discovery Day on August 17, the day gold was first discovered in the Klondike.

Other events have an ethnic focus, such as the Chinese New Year in February, where dragon dancers in Victoria, Vancouver and Toronto swirl through the streets of Chinatown, or the Nova Scotia Tattoo, featuring Scottish music, dancing and marching on a grand scale. There is also the world-renowned Quebec Winter Carnival, "dedicated to breaking the monotony of winter", Ottawa's Tulip Festival with its display of four million tulips, the Calgary Stampede, the Arctic Winter and Summer Games... the list goes on. In the words of one Canadian, "The land is so huge, the heritage so diverse, the climate so varied, the occasions so many, that there's often only one real common denominator – joy."

Joy is certainly the main theme of this year's Canada Day commemorative stamp. The bright colours and freehand style of the maple leaf design convey a sense of sponta-

La fête du Canada n'est pas seule à donner lieu à des festivités. La plupart des provinces ont leur propre fête : le Québec célèbre la Saint-Jean-Baptiste le 24 juin et le Yukon, le jour de la Découverte le 17 août, qui marque la découverte de l'or au Klondike, pour n'en nommer que quelques-unes.

D'autres activités revêtent un caractère ethnique certain. À l'occasion du nouvel an chinois en février, des danseurs déguisés en dragons sillonnent les rues de Victoria, de Vancouver et de Toronto. Les spectacles du Tattoo de la Nouvelle-Écosse se déroulent au son des cornemuses et de chants qui accompagnent des danses et des processions. Le Carnaval de Québec, qui vient rompre la monotonie de l'hiver, le Festival des tulipes, qui égaye Ottawa grâce à ses quatre millions de fleurs, le stampede de Calgary, les Jeux d'hiver de l'Arctique et les Jeux d'été du Nord forment un chapelet de fêtes qui jalonnent l'année. Le pays est si vaste, le patrimoine si diversifié, le climat si varié, les occasions si nombreuses qu'il ne subsiste qu'un dénominateur commun à toutes les festivités : la joie.

Cette année, la gaieté est sans contredit le thème du timbre commémoratif consacré à la fête du Canada. Les couleurs vives et le style

Specifications

Denomination:	40¢
Date of Issue:	28 June 1991
Design:	Jean-Pierre Veilleux, Lisa Miller, Roger Séguin
Illustration:	Laurie Lafrance
Printer:	Canadian Bank Note Co. Ltd.
Quantity:	15,000,000
Dimensions:	30 mm x 40 mm (vertical)
Printing Process:	Lithography in five colours
Pane Layout:	20 stamps

Données techniques

Valeur :	0,40 $
Date d'émission :	28 juin 1991
Design :	Jean-Pierre Veilleux, Lisa Miller, Roger Séguin
Illustration :	Laurie Lafrance
Imprimeur :	Canadian Bank Note Co. Ltd.
Tirage :	15 000 000
Format :	30 mm sur 40 mm (vertical)
Procédé d'impression :	lithographie en cinq couleurs
Présentation du feuillet :	20 timbres

neous and joyful celebration. Under the direction of Jean-Pierre Veilleux, designers Lisa Miller and Roger Séguin created the stamp design using an illustration by Laurie Lafrance. All four artists are based in Toronto.

libre avec lequel est illustrée la feuille d'érable évoquent la joie et la spontanéité des festivités. Sous la direction de Jean-Pierre Veilleux, les graphistes Lisa Miller et Roger Séguin ont créé le motif du timbre à partir d'une illustration de Laurie Lafrance. Tous quatre sont de Toronto.

Small Craft: Then and Now

The vast wilderness that Canada once was has greatly changed since the time of the first European settlers. The lakes and rivers that native peoples travelled along in their birchbark canoes still exist of course, though some have been altered and many are no longer pristine.

The Europeans who came here used the waterways only for work, not for recreation. Much has changed since then and today many of our lakes and rivers are used for leisure-time activities, providing escape and relaxation for fishermen, hunters and outdoor enthusiasts. Many of the boats sold today are affordable and have retained much of their original character.

Boaters can now buy or build their own replica of a native canoe, though the birchbark skin has been replaced by cedar strips, canvas, fibreglass and varnish. Built by expert craftsmen using carefully selected woods, these boats are the pride and joy of their owners, and can be used for river travel, hunting and fishing.

The kayak and paddle, which the Inuit have given up in favour of the rowboat and outboard motor, have taken on a new use. The craft's manoeuverability and light weight make it one of the most popular boats today, equally suitable for cruising on a quiet lake or descending white water rapids. The basic design has changed little, though plastic is now used in place of the tanned hide covering.

Les embarcations

Les vastes étendues sauvages qu'offrait le territoire canadien ont bien changé depuis l'arrivée des colons. Les lacs et les rivières que parcouraient les autochtones dans leurs canots d'écorce sont toujours là, quoique, souvent, leur cours ait été modifié, leur qualité diminuée.

Les arrivants européens n'utilisaient les cours d'eau que pour leurs activités économiques; ils ne songeaient point à s'en servir pour leurs loisirs. Depuis, la situation a beaucoup évolué. Aujourd'hui, les rivières et lacs servent au loisir. Pêcheurs, chasseurs et sportifs en ont fait le théâtre d'activités de détente et d'évasion. Plusieurs des embarcations sur le marché sont vendues à prix abordable et ont conservé leur caractère d'antan.

Ainsi, l'amateur de plein-air peut, par exemple, acheter ou construire lui-même une réplique du canot algonquin. Lamelles de cèdre, toile, fibre de verre et vernis ont toutefois remplacé l'écorce de bouleau. Reste que les artisans qui construisent ces embarcations choisissent scrupuleusement leurs matériaux. Ces canots font la fierté de leurs propriétaires qui s'en servent pour parcourir les rivières, pour chasser ou pour pêcher.

Le kayac et la pagaie, que les Inuit ont remplacés par la chaloupe et le moteur hors-bord, ont acquis une nouvelle vocation. La légèreté et la grande maniabilité du kayac en font une embarcation des plus populaires qui se prête tant à la randonnée paisible qu'à la descente en eaux vives. La forme des modèles récents diffère peu de celle des premiers kayacs bien que les carcasses, autrefois de peau de phoque, soient maintenant en polymères.

Pleasure craft: quiet enjoyment or thrilling excitement.

La navigation de plaisance, source de plaisirs tranquilles ou d'émotions fortes.

The Verchère rowboat, a flat-bottomed, keeled craft that first appeared around 1870, has been the main means of transportation for island residents in the St. Lawrence between Montreal and Sorel. Inspired by the dory and the pointer, the Verchère rowboat was designed with long, pointed ends; an upper stern was eventually added to accommodate an outboard motor. Today, only one builder remains, located in the Quebec town of Verchères.

Though sailboating was the preserve of the rich and famous around the turn of the century, today it is a much more accessible pastime and sport. Two Canadians are credited with producing the Laser or sailing dinghy, a boat that has popularized sailing more than any other. Designed by Bruce Kirby of Ontario and built by Ian Bruce of Quebec, more than 125,000 Lasers have been produced since the craft first appeared in 1970. Measuring about four metres long and equipped with very simple rigging, the Laser competes in many important international events as well as the Canada Games.

This set of stamps featuring contemporary pleasure craft is the third and last of the series devoted to Canadian small craft. As with the first and second sets, issued in 1989 and 1990 respectively, the designs in this set are the result of a close collaboration

La chaloupe verchère, embarcation à fond plat et à quille, a été, à compter de 1870, le moyen de transport des insulaires de l'archipel de la Montérégie, situé dans le Saint-Laurent entre Montréal et Sorel. La forme de cette chaloupe s'inspire de celle du doris et de la chaloupe à étrave. D'abord conçue avec deux extrémités effilées, on l'a munie d'un tableau arrière afin de permettre l'utilisation d'un moteur hors-bord. Il ne reste plus qu'un seul constructeur de ce type d'embarcation à Verchères.

Si la voile au début du siècle était l'apanage des mieux nantis, elle est, de nos jours, un sport beaucoup plus accessible. Deux Canadiens ont créé le dériveur léger qui a le plus contribué à populariser ce sport. Le Laser, conçu en 1970 par l'Ontarien Bruce Kirby et construit par le Québécois Ian Bruce, s'est vendu un peu partout dans le monde. Mesurant environ quatre mètres et doté d'un gréement très simple, le Laser figure dans de grandes compétitions internationales ainsi qu'aux Jeux du Canada.

À l'instar des deux premiers jeux émis en 1989 et en 1990, les motifs de ces quatre timbres sur les embarcations de plaisance résultent d'une étroite collaboration entre le graphiste Louis-André Rivard et l'illustrateur Bernard Leduc, tous deux de Montréal. Chaque motif présente une vue latérale de

Specifications

Denomination:	4 x 40¢ (se tenant)
Date of Issue:	18 July 1991
Design:	Louis-André Rivard
Illustration:	Bernard Leduc
Printer:	Ashton-Potter Limited
Quantity:	15,000,000
Dimensions:	40 mm x 26 mm (horizontal)
Printing Process:	Lithography in four colours
Pane Layout:	50 stamps

Données techniques

Valeur:	4 x 0,40 $ (se tenant)
Date d'émission:	18 juillet 1991
Design:	Louis-André Rivard
Illustration:	Bernard Leduc
Imprimeur:	Ashton-Potter Limited
Tirage:	15 000 000
Format:	40 mm sur 26 mm (horizontal)
Procédé d'impression:	lithographie en quatre couleurs
Présentation de la feuille:	50 timbres

between designer Louis-André Rivard and illustrator Bernard Leduc, both of Montreal. Each design features a side view of the craft and a combined front-and-rear view, both on a background showing a typical setting.

l'embarcation et un schéma de sa proue et de sa poupe. L'embarcation se détache sur un arrière-plan rappelant le type de cours d'eau auquel elle est destinée.

Canada's River Heritage: The Routes of Our Identity

The history of our country is, to a large extent, the history of our rivers, and although rivers for centuries served as the main routes of exploration and as waterways for industry and commerce, they are now highly valued as recreational areas or simply as sources of natural beauty. The Canadian Heritage Rivers System (CHRS) was established in 1984 to ensure the best possible use and quality of Canada's important rivers, and now includes sections of 21 different rivers. Five wilderness rivers designated as part of the CHRS are featured on this year's river heritage stamps.

In the southwest corner of the Northwest Territories, the South Nahanni River courses through a breathtaking wilderness landscape made up of glaciers, hot springs, icy caverns, sinkhole lakes, tundra plateaus and lush forests. Along the 300-km section designated by the CHRS are spectacular waterfalls and three of Canada's most picturesque canyons.

The Athabasca River, the longest in Alberta, played a key role in the opening of the west and was a major transportation route for over 200 years. With its source in the Columbia Icefields, the river winds its way 1538 kilometres into Lake Athabasca. The first 168-kilometre segment, now part of the CHRS, is the most scenic and includes some of Canada's best white-water rafting and canoeing areas.

Les rivières et les fleuves du Canada, berceau de notre identité

Nos fleuves et nos rivières ont orienté l'histoire du Canada : des siècles durant, les cours d'eau ont servi à l'exploration du territoire et au développement de l'industrie et du commerce. Ils sont maintenant des lieux privilégiés pour la pratique de loisirs ou tout simplement des sites d'une beauté exceptionnelle. Afin de conserver et de mettre en valeur les plus beaux éléments de cet héritage naturel, le Réseau de rivières du patrimoine canadien (RRPC) a été créé en 1984 et comprend maintenant vingt et une rivières. Cette année, les timbres de la série consacrée aux cours d'eau du patrimoine canadien ont pour motif cinq de ces voies navigables.

Se faufilant avec force dans un magnifique décor sauvage dans le sud-ouest des Territoires du Nord-Ouest, la Nahanni Sud offre le spectacle de nombreuses formations naturelles : glaciers, sources thermales, cavernes de glace, dolines, toundras et forêts luxuriantes. En outre, la section de 300 kilomètres de la rivière incluse dans le RRPC comprend des chutes spectaculaires ainsi que trois des plus impressionnantes gorges du pays.

La rivière Athabasca, la plus longue en Alberta, a joué un rôle de premier plan dans l'exploration et l'exploitation de l'Ouest : pendant plus de deux siècles, elle a servi de route principale. Elle prend sa source dans le champ de glace Columbia et s'écoule sur 1538 kilomètres avant de se jeter dans le lac Athabasca.

DAY OF ISSUE
JOUR D'ÉMISSION
1991.08.20
NAHANNI BUTTE, NT

Our rivers: a heritage to preserve.

Nos fleuves et rivières, un héritage à préserver.

Of immense historical value is the Boundary Waters-Voyageur Waterway, which extends from Montreal to Lake Winnipeg. The Boundary Waters section, linking Lake Superior and Ontario's Quetico Park, was

C'est dans son cours supérieur, inclus dans le RRPC, qu'elle offre ses paysages les plus saisissants; ce tronçon de 168 kilomètres est au nombre des meilleurs endroits pour la randonnée en canot et la descente en eaux vives.

Specifications		Données techniques	
Denomination:	5 x 40¢ (se tenant)	Valeur :	5 x 0,40 $ (se tenant)
Date of Issue:	20 August 1991	Date d'émission :	20 août 1991
Design:	Malcolm Waddell, Jan Waddell	Design :	Malcolm Waddell, Jan Waddell
Printer:	Ashton-Potter Limited	Imprimeur :	Ashton-Potter Limited
Quantity:	15,000,000	Tirage :	15 000 000
Dimensions:	30.5 mm x 48 mm (vertical)	Format :	30,5 mm sur 48 mm (vertical)
Printing Process:	Lithography in five colours	Procédé d'impression :	lithographie en cinq couleurs
Pane Layout:	10 stamps	Présentation du feuillet :	10 timbres

nominated to the CHRS in 1986. This extensive network of interconnecting lakes, rivers and portage routes was used by native peoples for thousands of years and later by the fur-trading voyageurs.

The Jacques-Cartier River, north of Quebec City, consists of an upper section flanked by steep mountains and dense forest, and a lower section that flows through agricultural and urbanized areas of the St. Lawrence Lowlands. Once an important travel and trade route for Indians and early settlers, the river is now a prime recreation and tourism area.

Newfoundland's Main River is a wilderness haven of serene scenic beauty. Located on the Great Northern Peninsula, it flows to the Atlantic through the Big Steady, one of only three large marshes on the island. The area is renowned for its bountiful wildlife, most notably, moose, caribou and Atlantic salmon.

Featured on the five stamps are a typical portion of each river and an important element of its ecology, history and use. The detailed pencil drawings are by Jan Waddell and the overall design by Malcolm Waddell, both of Toronto.

La Route frontalière des Voyageurs, qui s'étend entre Montréal et le lac Winnipeg, est d'une valeur historique inestimable. La partie canadienne de la Route frontalière, reliant le lac Supérieur et le parc provincial Quetico, en Ontario, a été intégrée au RRPC en 1986. Pendant des millénaires, ce vaste réseau de lacs, de rivières et de portages a constitué la principale voie de transport pour les autochtones et, plus tard, pour les pelletiers.

La rivière Jacques-Cartier, qui coule au nord de la ville de Québec, traverse deux régions distinctes. Son cours supérieur est profondément encaissé dans des montagnes à pic et des forêts denses, tandis que sa partie inférieure sillonne la région agricole et urbanisée de la vallée du Saint-Laurent. Axe important pour le transport et les activités commerciales des autochtones et des premiers colons, la rivière offre aujourd'hui un vaste potentiel récréatif et touristique.

La rivière Main, située dans la péninsule Great Northern à Terre-Neuve, traverse le Big Steady, l'un des trois grands marais de l'île, pour se jeter dans l'Atlantique. La région est connue pour sa faune, notamment sa population de saumons, d'orignaux et de caribous.

Les timbres reproduisent un paysage typique de chacune des rivières ainsi qu'un élément important de son écologie, de son histoire ou de l'usage qu'on en fait. Jan Waddell a signé les dessins au crayon, Malcolm Waddell le motif. Tous deux sont de Toronto.

Ukrainian Settlement: Paintings of Pioneers

Artist William Kurelek (1927-1977) was fulfilling a lifelong dream when he painted *The Ukrainian Pioneer* in 1971. Like the chapters of an epic novel, his six-panel mural tells the story of thousands of Ukrainians – including Kurelek's own ancestors – who immigrated to Canada in the late 19th century. Symbolic yet realistic, the paintings are "icons" of their suffering, determination and ultimate achievements.

Kurelek's maternal grandparents and later his father were among the many Ukrainians who settled in an area northeast of Edmonton. The artist himself was born there but spent most of his childhood on a farm near Winnipeg. Years later, he would infuse into his work the indelible memories of farm life in the Prairies.

The setting of the painting's first panel is the Ukraine, where the poverty and oppression of the peasantry are poignantly conveyed in the central image – a barefoot girl going out at night in the snow to beg for food. It was conditions like these that would drive thousands of Ukrainians from their homeland.

The second panel shows a group of emigrants on the deck of a ship that has brought them ill and homesick across the Atlantic within sight of an unknown new world. In the third panel, we see a family at the end of its long journey across Canada, standing alone and uneasy before a vast forest and the overwhelming task of homesteading that lay ahead.

Ukrainian immigrants: greatly contributing to Canada's social fabric.

Hommage aux pionniers ukrainiens

Lorsque, en 1971, William Kurelek (1927-1977) a peint *Le Pionnier ukrainien*, il a réalisé le rêve de sa vie. Comme les différents chapitres d'un livre, cette peinture murale, constituée de six panneaux, raconte l'histoire des milliers d'Ukrainiens – dont les ancêtres de Kurelek – qui ont immigré au Canada à la fin du XIXe siècle. Symboliques tout en demeurant réalistes, les différentes scènes évoquent la souffrance, la détermination et la réussite des Ukrainiens.

Les grands-parents maternels de Kurelek, et par la suite son père, comptent parmi les nombreux colons qui se sont établis au nord-est d'Edmonton. Bien que l'artiste soit né dans cette même région, il a passé la majeure partie de son enfance dans une ferme près de Winnipeg. Des années plus tard, ses œuvres témoignent des souvenirs inoubliables qu'il a gardés de sa vie dans les Prairies.

La première scène de l'œuvre se situe en Ukraine. Une petite fille aux pieds nus sortant de chez elle par une soirée d'hiver pour mendier son pain symbolise la pauvreté qu'ont connue les paysans. Ce sont des conditions comme celles-là qui ont forcé les Ukrainiens à quitter leur pays en masse.

Nombreux sont ceux qui ont traversé l'Atlantique, nostalgiques et souffrant du mal de mer. Dans le deuxième tableau, un groupe d'émigrants, debout sur le pont d'un navire, fixe l'horizon d'où émerge le Nouveau Monde. La troisième scène présente une famille qui, parvenue à la fin de son voyage à travers le pays, semble écrasée par la vaste forêt qu'elle devra défricher avant de s'établir. Pour la communauté ukrainienne, transformer des terres sauvages en terres cultivées s'est avéré une tâche ardue. C'est d'ailleurs cette réalité que le peintre a illustrée sur le quatrième panneau.

L'immigration ukrainienne : un riche apport au tissu social du Canada.

The arduous work of transforming a wilderness into productive farmland and a thriving

La scène suivante, principalement composée de champs enneigés, fait voir que les

Specifications

Denomination: 4 x 40¢ (se tenant)
Date of Issue: 29 August 1991
Design: Joseph Gaul, Tiit Telmet
Painting: William Kurelek
Printer: Canadian Bank Note Co. Ltd.
Quantity: 15,000,000
Dimensions: 27 mm x 40 mm (vertical)
Printing Process: Lithography in five colours
Pane Layout: 20 stamps

Données techniques

Valeur: 4 x 0,40 $ (se tenant)
Date d'émission: 29 août 1991
Design: Joseph Gault, Tiit Telmet
Peinture: William Kurelek
Imprimeur: Canadian Bank Note Co. Ltd.
Tirage: 15 000 000
Format: 27 mm sur 40 mm (vertical)
Procédé d'impression: lithographie en cinq couleurs
Présentation du
feuillet: 20 timbres

community is the subject of the fourth panel. In the fifth, a snow-covered field portrays a land that itself has been tamed but where, in Kurelek's words, "the weather remains pretty well as untamed as before."

The last panel shows a farmer in a lush field of wheat. In stark contrast to the young girl in the first panel, he is finally reaping the rewards of the many years of toil and perseverance.

Canada Post has issued this set of four commemoratives to mark the beginning of the wave of Ukrainian immigration to Canada one hundred years ago. The images used are details from the first, second, third and sixth panels of William Kurelek's *The Ukrainian Pioneer*. Along the right edge of each stamp is a section of embroidery by Lidia Junko, specially created for this issue and typical of traditional Ukrainian designs found on clothing and religious vestments. The overall stamp design is the work of Tiit Telmet and Joseph Gault of Toronto.

Ukrainiens ont réussi à apprivoiser la région, mais que le temps, lui, reste toujours aussi indomptable. La dernière peinture met en évidence un fermier dans un luxuriant champ de blé. Le contraste entre le premier et le dernier panneau est saisissant : alors que la petite fille aux pieds nus exprime la pauvreté et la misère, le fermier récoltant le fruit d'années de labeur et de persévérance symbolise l'abondance et la prospérité.

À l'occasion du centenaire du début de l'immigration massive des Ukrainiens au Canada, la Société canadienne des postes a émis un jeu de timbres reproduisant des détails des premier, deuxième, troisième et sixième panneaux de l'œuvre *Le Pionnier ukrainien* de William Kurelek. Un lé de broderie réalisé par Lidia Junko longe le côté droit de chaque timbre. Créée spécialement pour cette émission, la broderie reprend des motifs que l'on trouve sur les habits et les vêtements sacerdotaux ukrainiens. Les graphistes torontois Tiit Telmet et Joseph Gault signent ce jeu de quatre timbres.

Dangerous Occupations: Help is on the Way

We seldom appreciate the true value of police officers, firefighters, ski patrollers and search-and-rescue teams until, of course, they are needed. Anyone who has ever been mugged in the street, trapped in a burning building or lost in the wilderness knows just how important these people are. Often risking their own life to save the lives of others, they perform acts of heroism just by doing their job. Far from glamorous, their work is often uncomfortable, exhausting and highly stressful.

Though police work involves many different responsibilities, much of it has to do with fighting crime, and all the risks that go with it. When investigating cases of robbery or assault, officers are often placed in life-threatening situations, having to apprehend armed criminals, and at the same time protect and care for victims.

Despite false alarms and long hours at the station, firefighters have to be ready to spring into action at a moment's notice, fully prepared to battle smoke and flames, and rescue victims who are often injured or in a state of panic. Though, in one sense, technology has made the firefighter's job easier, it has also made fires potentially much more lethal, given the proliferation of hazardous chemicals as well as today's high-rise buildings and underground structures.

Highly trained and mostly volunteer, ski patrollers are responsible for administering first aid to injured skiers and transporting those in need of further medical attention. They may also be called upon to take part in arduous and dangerous search-and-rescue missions sent to avalanche sites.

Profession : spécialiste du danger

On apprécie rarement à leur juste valeur les hommes et les femmes membres des services de police et de lutte contre les incendies, des équipes de secouristes-patrouilleurs et des organismes de recherche et de sauvetage. En effet, ce n'est que perdus en forêt, prisonniers dans un édifice en flammes ou agressés dans la rue que l'on se rend compte de l'importance de ces personnes. Risquant chaque jour leur vie pour sauver celle des autres, elles font preuve d'héroïsme par le simple fait d'exercer leurs fonctions, qui les placent souvent dans des situations embarrassantes, épuisantes et stressantes.

Du contrôle de la circulation à la recherche de renseignements, les responsabilités des forces de police sont très variées et comportent de grands risques. En effet, lorsqu'ils enquêtent sur un vol ou une agression, les agents et agentes s'exposent à bien des dangers, car ils doivent intercepter des criminels armés tout en assurant la sécurité du public.

En dépit des fausses alarmes et des longues heures d'attente dans la caserne, les pompiers et pompières doivent toujours être sur le qui-vive, prêts à combattre les incendies et à secourir les victimes blessées ou prises de panique. La technologie a certes facilité leur travail, mais si l'on considère la prolifération des produits chimiques dangereux, des gratte-ciel et des constructions souterraines, on peut également dire qu'elle a contribué à faire du feu un adversaire encore plus meurtrier.

Sur les pentes de ski, ce sont les équipes de patrouille qui accourent en cas de détresse. Hautement qualifiés et souvent bénévoles, les membres de ces équipes administrent les premiers soins aux skieurs blessés et se chargent de les transporter à un centre médical pour qu'ils reçoivent les traitements appropriés. De plus, les secouristes participent parfois à des expéditions de recherche et de sauvetage à la suite d'avalanches.

Dangerous occupations: risking one's life to save others.

Spécialistes du danger : risquer sa vie pour celle des autres.

Search-and-rescue (SAR) operations have saved thousands of people in distress. Co-ordinated by the Canadian Forces, or by the Canadian Parks Service in national parks, these services make use of helicopters and other aircraft, sometimes in conjunction with rescue vessels from the Canadian Coast Guard, to carry out many types of operations,

Grâce aux efforts des organismes de recherche et de sauvetage, des milliers de personnes en danger ont eu la vie sauve. Coordonnés par les Forces armées canadiennes ou par le Service canadien des parcs, ces organismes utilisent des hélicoptères spéciaux et des avions, parfois conjointement avec des navires de sauvetage de la Garde côtière canadienne.

Specifications		*Données techniques*	
Denomination:	4 x 40¢	*Valeur :*	4 x 0,40 $
Date of Issue:	23 September 1991	*Date d'émission :*	23 septembre 1991
Design:	Suzanne Duranceau	*Design :*	Suzanne Duranceau
Printer:	Canadian Bank Note Co. Ltd.	*Imprimeur :*	Canadian Bank Note Co. Ltd.
Quantity:	15,000,000	*Tirage :*	15 000 000
Dimensions:	30 mm x 40.5 mm (vertical)	*Format :*	30 mm sur 40,5 mm (vertical)
Printing Process:	Lithography in five colours	*Procédé d'impression :*	lithographie en cinq couleurs
Pane Layout:	50 stamps	*Présentation de la feuille :*	50 timbres

whether it be saving seamen from sinking ships, airlifting the critically ill or injured from remote areas, or rescuing the victims of air-plane crashes. SAR crews must sometimes cope with the harshest conditions, counting the minutes that can make the difference between life and death.

This set of commemorative stamps pays tri-bute to the men and women involved in these four dangerous occupations. With her coloured-pencil drawings, Montreal Illustrator Suzanne Duranceau has realistically captured the drama that typifies each line of work.

Leur rôle est de secourir les équipages en détresse, les personnes en régions éloignées qui sont gravement blessées ou malades ainsi que les victimes d'accidents côavion. Ces spé-cialistes du sauvetage affrontent parfois des conditions très rigoureuses dans une course contre la montre qui peut faire toute la dif-férence entre la vie et la mort.

Ce jeu de timbres commémoratifs rend hom-mage aux nombreux héros méconnus qui se livrent à ces quatre occupations dangereuses. Se servant de crayons de couleur, l'illustratrice montréalaise Suzanne Duranceau a représen-té de façon réaliste l'aspect dramatique de chacune de ces activités.

Canadian Folklore: The Telling of Tales

Contes populaires du folklore canadien

Long before television and movies, storytelling was an essential part of human communication in Canada. From the oldest legends of native cultures to the funniest tall tales of the Western settlers, the telling of stories was for young and old alike a source of wonderful entertainment.

Stories about buried treasure, pirates and ghosts have been told in Nova Scotia for centuries. As with so many other Canadian legends, there are those who staunchly believe these stories, though they abound in supernatural beings and strange events. A key figure in many of them is the infamous Captain Kidd, who, though certainly no figment of the imagination, probably never was a pirate or ever sailed the waters off Nova Scotia.

One of French Canada's oldest and best-known legends is *La Chasse-galerie*, which tells of a group of shantymen who, one New Year's Eve, flew home to their sweethearts in a birchbark canoe piloted by the devil. Though the men barely escape disaster, the story is quick to warn against temptation by the devil, especially for lonely loggers far from home and church.

Il y a longtemps, les conteurs étaient très populaires au Canada. Des légendes sacrées des Inuit aux contes à dormir debout des colons de l'Ouest, les histoires bien racontées divertissaient jeunes et vieux tout en leur enseignant d'importantes morales.

En Nouvelle-Écosse, on raconte depuis des siècles des histoires de pirates, de trésors cachés et de fantômes. Comme tant d'autres légendes canadiennes, elles sont remplies d'êtres et d'événements surnaturels. Un des personnages de ces récits, le tristement célèbre capitaine Kidd, a bel et bien existé, sauf qu'il n'a probablement jamais commis d'acte de piraterie ni même navigué dans les eaux de la province.

Une des plus populaires et des plus anciennes légendes canadiennes-françaises, la chasse-galerie, raconte l'aventure de bûcherons qui s'envolent la nuit du Jour de l'an dans un canot d'écorce, conduit par le diable, pour aller voir leurs blondes. L'histoire se termine par un quasi-désastre, rappelant à l'auditoire les dangers de se laisser tenter par le diable, surtout lorsqu'on est un bûcheron qui, loin de la maison et de l'église, s'ennuie de son amie.

Sculpture inspired by orphan boy story; flying canoe from *chasse-galerie* legend; Captain Kidd's ship on the attack. The scorching chinook.

Sculpture inspirée de la légende de l'orphelin, le canot volant de la chasse-galerie et le navire du capitaine Kidd à l'abordage. Le souffle brûlant du chinook.

Though southern Alberta with its dramatic weather has produced some of the wildest tall tales, the pioneers who spun yarns about the chinook wind did not have to exaggerate much. The fact that the temperature can rise more than 20 degrees Celsius in minutes might explain why a sleigh trying to outrun a chinook can have the front of its runners in snow and the rear section in dust.

The harsh reality of climate – and of life in general – is an important element in many Inuit legends, including the one about the orphan boy. In the story, a young boy is sepa-

Dans le sud de l'Alberta, où les changements de température sont marqués, on raconte des histoires incroyables sur le chinook. Pourtant, les récits des pionniers n'ont rien de si abraca-dabrants : le chinook peut élever la tempéra-ture en un rien de temps. On a déjà vu le thermomètre grimper de plus de 20 °C en quelques minutes ! Il n'apparaît donc pas impossible qu'un traîneau poursuivi par un chinook se soit retrouvé les patins avant dans la neige et les patins arrière dans la poussière.

De nombreuses légendes inuit tournent autour des dures réalités du climat et de la vie.

Specifications		Données techniques	
Denomination:	4 x 40¢ (se tenant)	Valeur :	4 x 0,40 $ (se tenant)
Date of Issue:	1 October 1991	Date d'émission :	1er octobre 1991
Design:	Allan Cormack, Deborah Drew-Brook, Ralph Tibbles	Design :	Allan Cormack, Deborah Drew-Brook, Ralph Tibbles
Printer:	Ashton-Potter Limited	Imprimeur :	Ashton-Potter Limited
Quantity:	20,000,000	Tirage :	20 000 000
Dimensions:	30 mm x 40 mm (vertical)	Format :	30 mm sur 40 mm (vertical)
Printing Process:	Lithography in five colours	Procédé d'impression :	lithographie en cinq couleurs
Pane Layout:	50 stamps	Présentation de la feuille :	50 timbres

rated from his parents after floating away on an ice floe. Taken in by strangers, the boy is mistreated and eventually seeks revenge. As in many Inuit stories, the moral is all-impor-tant; in this case, it tells us to "do unto others as you would have them do unto you".

These four folktale traditions form the overall theme of this year's instalment of the Canadian Folklore series. The finely executed images convey the sense of the supernatural that pervades each tale. The stamps are again the work of designer Ralph Tibbles and illustrators Allan Cormack and Deborah Drew-Brook, all of Toronto.

La légende de l'orphelin raconte l'histoire d'un jeune garçon qui se retrouve seul sur une glace flottante, coupé du reste de sa famille. Adopté par des étrangers, il est mal-traité et finit par demander vengeance. Comme dans bon nombre d'autres récits inuit, la morale de cette histoire, «ne fais pas à autrui ce que tu ne voudrais pas qu'il te fît», revêt une importance capitale.

Ces quatre légendes forment le sujet du deuxième jeu de la série consacrée au folklore canadien. Les images rendent le sentiment de surnaturel qui émane de chacun des récits. Les timbres sont l'œuvre du graphiste Ralph Tibbles et des dessinateurs Allan Cormack et Deborah Drew-Brook, tous de Toronto.

Queen's University: 150 and Still Going Strong

When classes began for the first time on 7 March 1842, Queen's College consisted of nothing more than two professors and 15 students in a small rented house in Kingston, Ontario. The fledgling institution had been founded the previous year by the Presbyterian Church of Canada, in association with the Church of Scotland, and had received a royal charter as well as its name from Queen Victoria. Although Queen's offered "instruction in the various branches of Science and Literature", its main purpose was to prepare young men for the ministry.

Its theological vocation aside, Queen's College represented the expansion of university education in central Canada, though its own growth was far from rapid or consistent. In fact, the first thirty years saw such instability that the school's very survival was in doubt. With a "strange, illogical will to live", however, and 25 years under the dynamic leadership of principal George Monro Grant, Queen's was able to enter the 20th century a vigorous national seat of learning. In 1912, it separated from the Presbyterian Church and became Queen's University, an independent institution controlled mainly by its graduates.

L'université Queen's : cent cinquante ans d'existence, et ce n'est qu'un début!

Lorsque le collège Queen's ouvre ses portes le 7 mars 1842, il n'est rien de plus que deux professeurs, quinze étudiants et une petite maison louée à Kingston. Fondée l'année précédente sous les auspices de l'Église presbytérienne du Canada, en collaboration avec la *Church of Scotland*, l'institution ontarienne avait obtenu une charte royale, de même que son nom, de la reine Victoria. Si elle offre une formation dans diverses branches de la science et de la littérature, sa vocation première est de préparer les jeunes hommes au ministère.

La création du collège Queen's témoigne de l'expansion de l'enseignement universitaire dans les provinces centrales, bien que sa propre croissance est loin d'être rapide ou régulière. En fait, sa situation au cours de ses trente premières années est d'une telle précarité que le collège est menacé de disparition. Malgré les obstacles à aplanir, mais grâce aux efforts de son directeur George Monro Grant, qui l'administre avec dynamisme pendant vingt-cinq ans, c'est avec vigueur que le collège entame le xxe siècle à titre d'institution d'enseignement nationale. À partir de 1912, année où elle obtient son indépendance de l'Église presbytérienne, l'institution est dirigée principalement par ses diplômés et est connue sous le nom d'université Queen's.

Queen's campus, then and now, and the ever-present Grant Hall Tower.

Le campus au siècle dernier et aujourd'hui, toujours dominé par la tour du pavillon Grant.

Although Queen's has preserved many of its historic buildings and still has remnants of its Scottish heritage, it has grown immeasurably since its early years – and continues to grow. There are now about as many faculties and schools (13 in all) as there once were students – from the original Faculty of Arts and Science to the recent School of Industrial Relations. Like the curriculum, the student population has diversified as well. Students come from all over Canada, the U.S. and some 60 other countries, with about 90 percent from outside the Kingston area. And while the university can also boast first-rate facilities, including its library and archives, perhaps its greatest source of pride is the strong and abiding loyalty of its students – even long after they graduate.

In honour of the 150th anniversary of the founding of Queen's University, Canada Post has issued this commemorative stamp as well as a prestige booklet. Designed by Richard Kerr and Les Holloway of DesignSource in Toronto, the stamp features a Queen's flag that is flown during special ceremonies.

Bien que le campus actuel abrite bon nombre des premiers édifices ainsi que des vestiges attestant son héritage écossais, il s'est grandement étendu depuis ses modestes débuts et ne cesse de s'agrandir. Aujourd'hui, l'université possède presque autant de facultés et d'écoles qu'elle avait autrefois d'étudiants, soit treize, depuis les facultés originales d'arts et de sciences à la toute dernière-née, l'école des relations industrielles. À l'instar de ses programmes, sa population étudiante s'est aussi diversifiée. Environ quatre-vingt-dix pour cent du corps étudiant viennent de l'extérieur de Kingston, de partout au Canada, des États-Unis et de soixante autres pays. Si l'institution peut s'enorgueillir d'excellentes installations, telles sa bibliothèque et ses archives, sa plus grande source de fierté demeure sans doute l'attachement de ses diplômés à son égard : leur sentiment d'appartenance persiste longtemps après leur départ.

À l'occasion du 150e anniversaire de la création de l'université Queen's, la Société canadienne des postes a émis un timbre commémoratif ainsi qu'un livret de prestige. Conçu par Richard Kerr et Les Holloway de la maison torontoise *DesignSource*, le timbre présente le drapeau de l'université Queen's qui est hissé à l'occasion de cérémonies spéciales.

Specifications

Denomination:	40¢
Date of Issue:	16 October 1991
Design:	Les Holloway, Richard Kerr
Printer:	Ashton-Potter Limited
Quantity:	5,000,000
Dimensions:	30.5 mm x 24 mm (horizontal)
Printing Process:	Lithography in five colours
Pane Layout:	10 stamps

Données techniques

Valeur :	0,40 $
Date d'émission :	16 octobre 1991
Design :	Les Holloway, Richard Kerr
Imprimeur :	Ashton-Potter Limited
Tirage :	5 000 000
Format :	30,5 mm sur 24 mm (horizontal)
Procédé d'impression :	lithographie en cinq couleurs
Présentation du feuillet :	10 timbres

Santa Claus: An Enduring Tradition

Le père Noël : une vieille tradition

Symbol of the spirit of Christmas throughout the world, Santa Claus has had many names and guises over the centuries. The jolly, rotund benefactor actually goes back more than 1700 years to one Bishop Nicholas of Myra (now part of Turkey). The cleric was renowned for his generosity and kindness to the poor, and for his ability to perform miracles.

Even as a boy, Nicholas would anonymously give food and clothing to less fortunate children. One of his "miracles" – the prototype for a universal Christmas tradition – involved a poor man's three daughters, each of whom had a suitor but no dowry. Nicholas, it was said, secretly visited their home one night and threw three small bags of gold into their stockings, which were hanging to dry.

The young bishop became so revered throughout Europe that in the 9th century he was declared a saint, and the day of his death, December 6, was eventually proclaimed an official church holiday. Saint Nicholas would be widely adopted as the patron saint of children, virgins, sailors and many others, and of countries as well, including Russia.

Le père Noël, symbole de l'esprit de Noël partout dans le monde, a porté bien des noms et bien des costumes au cours des siècles. L'origine de ce bienfaiteur jovial et rondelet remonte aux années 300 de notre ère, plus précisément à l'évêque Nicolas, qui vivait à Myra, ancienne partie de la Turquie. L'évêque Nicolas a toujours été connu pour sa générosité, sa bonté et ses miracles.

Jeune, Nicolas sortait la nuit pour distribuer de la nourriture et des vêtements aux enfants moins fortunés. Ainsi, un des vingt et un «miracles» qui l'ont rendu célèbre est devenu l'exemple par excellence de la tradition de Noël. Trois filles dont le père était pauvre avaient chacune un prétendant, mais pas de dot. Une nuit, Nicolas passa secrètement sous leur fenêtre et lança trois petits sacs d'or dans les bas qu'elles avaient mis à sécher. Au IXe siècle, l'Europe vénérait le jeune évêque à tel point qu'elle le canonisa. Trois siècles plus tard, le 6 décembre, date de sa mort, fut déclaré fête religieuse officielle. Saint Nicolas devint, entre autres, le patron des petits enfants, des vierges, des marins et de différents pays dont la Russie.

La célébration de la fête de saint Nicolas faillit disparaître avec l'avènement de la réforme protestante, mais comme la tradition de Noël était bien ancrée, on remplaça saint Nicolas par des personnages non religieux et on distribua les cadeaux non pas le 6, mais le 25 décembre. Dans certains pays toutefois, les enfants accrochent toujours leur bas de Noël la nuit du 5 décembre. La tradition a certes quelque peu changé avec le temps : saint Nicolas a pris un serviteur qui punit les enfants désobéissants ou qui laisse un fouet aux parents afin qu'ils leur donnent eux-mêmes la correction.

Santa Claus: a centuries-old tradition.

Le père Noël : une tradition qui varie selon les époques et les cultures.

1891 · 1991

James A. Naismith, born near Almonte, Ontario, invented basketball in 1891 while teaching in the U.S. Today, basketball is one of the world's most popular sports.

James A. Naismith, né près d'Almonte (Ontario), a conçu le basket-ball en 1891 lorsqu'il était moniteur aux États-Unis. Aujourd'hui, le basket-ball est l'un des sports les plus populaires.

Specifications		Données techniques	
Denomination:	40¢ (stamp); 40¢, 46¢, 80¢ (se tenant, souvenir sheet)	Valeur :	0,40 $ (timbre); 0,40 $, 0,46 $, 0,80 $ (se tenant, feuillet-souvenir)
Date of Issue:	25 October 1991	Date d'émission :	25 octobre 1991
Design:	Joseph Gault, Charles Reynolds, Tiit Telmet	Design :	Joseph Gault, Charles Reynolds, Tiit Telmet
Printer:	Ashton-Potter Limited	Imprimeur :	Ashton-Potter Limited
Quantity:	15,000,000 (stamp) 500,000 (souvenir sheet)	Tirage :	15 000 000 (timbre) 500 000 (feuillet-souvenir)
Dimensions:	26 mm x 40 mm (vertical) – stamp 155 mm x 90 mm (horizontal) – souvenir sheet	Format :	26 mm sur 40 mm (vertical) – timbre 155 mm sur 90 mm (horizontal) – feuillet-souvenir
Printing Process:	Lithography in seven colours (stamp) Lithography in nine colours (souvenir sheet)	Procédé d'impression :	lithographie en sept couleurs (timbre) lithographie en neuf couleurs (feuillet-souvenir)
Pane Layout:	40¢ – 50 stamps Souvenir sheet – 3 stamps	Présentation de la feuille et du feuillet :	0,40 $ – 50 timbres feuillet-souvenir – trois timbres

Although some rules were later changed (five players instead of nine, a hoop net replacing the basket, and players allowed to dribble as well as pass the ball), the game's popularity grew steadily. Within ten years, basketball was being played by both men and women in other countries, and by the 1930s, over 50 countries had imported the game.

Basketball was played as an official Olympic sport for the first time at the 1936 Berlin Games. Attending the Games was Naismith himself, by then an elderly physician and professor of physical education at the University of Kansas. As guest of honour, he received a well-deserved tribute for his contribution to the world of sports.

This stamp and souvenir sheet of three stamps were issued in honour of basketball's 100th anniversary. Designers Joseph Gault, Charles Reynolds and Tiit Telmet of Toronto have captured three thrilling moments in modern professional competition.

Plus tard, le jeu subit certaines modifications : plus que cinq joueurs par équipe sur le terrain, substitution du panier à fruits par un filet suspendu à un cerceau et transport du ballon non seulement en passant, mais aussi en dribblant. La popularité du jeu va toujours croissant. En dix ans, hommes et femmes du monde entier l'adoptent. En 1930, on le pratique dans plus de cinquante pays.

En 1936, à Berlin, le basket-ball fait son entrée officielle aux Jeux olympiques. Naismith, qui est alors médecin et professeur d'éducation physique à l'université du Kansas et passablement âgé, est présent à titre d'invité d'honneur. On y souligne, comme il se doit, sa contribution au monde du sport.

Cette vignette et le feuillet-souvenir de trois timbres ont été émis pour célébrer le centenaire du basket-ball. Les graphistes Joseph Gault, Charles Reynolds et Tiit Telmet ont reproduit trois scènes excitantes du basket-ball professionnel d'aujourd'hui.

The Second World War: Total War

By 1941, every Canadian had been affected by the war in some way and was involved in the war effort, either at home or abroad.

That summer, the role of women in the war became particularly visible, and quite controversial. In an unprecedented move, both the army and the air force, despite considerable resistance, began recruiting women. The navy followed suit a year later, estimating that "a maximum of 20 would suffice" – a far cry from the 7,100 who eventually enlisted.

Expected to serve as nurses as they had in the past, women were suddenly taking on just about every job in the services short of combat, from welding aircraft parts to operating radios. With so many men out of the labour force, thousands of women were doing men's work in war plants across the country. The output of factories was increasing at an astonishing rate, and in the production of ships, aircraft, military vehicles and munitions, Canada was undergoing a veritable industrial revolution.

Compared with other Allied countries, Canada was relatively well off and in a position to provide increasingly needed aid. In the wake of the Nazi bombing of Britain, thousands of Canadians opened their homes to evacuated British children, and donated money, food and clothing to bombed-out families. People everywhere, including veterans of the First World War and young cadets from the three armed forces programs, were doing what they could.

La Seconde Guerre mondiale : une guerre totale

En 1941, les effets de la Seconde Guerre mondiale se faisaient ressentir dans tous les foyers canadiens. Chacun contribuait à l'effort de guerre à sa façon, que ce soit à la maison ou à l'étranger.

Cet été-là, la participation des femmes devint particulièrement visible – et contestée. Événement sans précédent dans l'histoire, l'aviation et l'armée de terre commencèrent à recruter des femmes, et ce malgré les nombreuses protestations. Un an plus tard, la marine emboîtait le pas. Évaluant qu'une vingtaine de femmes suffiraient, elle était loin de penser que 7100 femmes s'enrôleraient. On s'attendait évidemment à ce que plusieurs d'entre elles servent comme infirmières, comme cela avait été le cas par le passé, mais voilà que les femmes se retrouvaient presque partout, hormis au combat, remplissant aussi bien les fonctions de soudeuse que celles de télégraphe.

Comme les hommes étaient nombreux à servir au front, les usines de guerre réparties aux quatre coins du pays ne tardèrent pas à embaucher des milliers de femmes pour faire du «travail d'homme». La production de navires, d'avions, de véhicules militaires et de munitions augmenta à un rythme effarant : le Canada était en pleine révolution industrielle.

Pays relativement à l'aise par rapport aux Alliés, le Canada pouvait fournir de l'aide à d'autres nations, qui en avaient d'ailleurs de plus en plus besoin. À la suite du bombardement de la Grande-Bretagne par les nazis, des milliers de Canadiens offrirent l'hospitalité aux enfants britanniques qui avaient été évacués de leur pays ou envoyèrent argent, nourriture et vêtements aux familles sinistrées. Chacun fit sa part, des jeunes cadets des forces armées aux vétérans de la Première Guerre.

The war effort: everyone is now involved.

L'effort de guerre : l'affaire de tous et de toutes.

For Canadian servicemen on the war front, nothing in the war thus far had been as brutal and unexpected as in the fight to defend Hong Kong against the Japanese. It was the first time in the war that the Canadian army had gone into combat. Two hopelessly ill-equipped and untrained battalions were sent

Pour les militaires à l'étranger, la guerre n'avait jamais été aussi dure et imprévisible qu'elle ne le fut lors de l'attaque de Hong-Kong par les Japonais. C'était la première fois que l'armée canadienne prenait part au combat. Deux bataillons non entraînés et très mal équipés eurent pour mission de défendre une

Specifications

Denomination:	4 x 40¢ (se tenant)
Date of Issue:	8 November 1991
Design:	Pierre-Yves Pelletier, Jean-Pierre Armanville
Printer:	Canadian Bank Note Co. Ltd.
Quantity:	15,000,000
Dimensions:	48 mm x 30 mm (horizontal)
Printing Process:	Lithography in five colours
Pane Layout:	16 stamps

Données techniques

Valeur :	4 x 0,40 $ (se tenant)
Date d'émission :	8 novembre 1991
Design :	Pierre-Yves Pelletier, Jean-Pierre Armanville
Imprimeur :	Canadian Bank Note Co. Ltd.
Tirage :	15 000 000
Format :	48 mm sur 30 mm (horizontal)
Procédé d'impression :	lithographie en cinq couleurs
Présentation du feuillet :	16 timbres

to defend an island that was indefensible. Besides the hundreds of casualties, those taken prisoner suffered terrible ordeals. The defence of Hong Kong proved to be a disaster for Canadians on the battlefront and a shocking blow to those at home.

This set of four stamps was issued in recognition of the Canadians who served in the war on many different fronts. It is the third in a series that marks the 50th anniversary of the Second World War and was designed by Pierre-Yves Pelletier and Jean-Pierre Armanville, both from Montreal.

île non défendable. Les résultats furent catastrophiques. En plus des milliers de soldats tués ou blessés, beaucoup furent faits prisonniers et subirent des traitements atroces. Les conséquences de cet échec furent lourdement ressenties par tous les Canadiens, y compris ceux qui étaient restés au pays.

Ce jeu de quatre timbres, le troisième d'une série marquant le cinquantième anniversaire de la Seconde Guerre mondiale, rend hommage à tous les Canadiens qui ont servi pendant le conflit. Il a été conçu par Pierre-Yves Pelletier et illustré par Jean-Pierre Armanville, tous deux de Montréal.

The Reigning Monarch: A Philatelic Tradition

British monarchs have regularly been portrayed on Canadian postage stamps ever since the province of Canada first produced its own stamps in 1851, and although their predominance as a stamp subject gradually disappeared over the years as our ties with Britain changed and as stamp design diversified, their portrayal remains a firmly established Canadian philatelic tradition.

In 1851, Queen Victoria was the first monarch to appear on a Canadian stamp. Many other portraits of her were featured over the next 50 years and, like those of her successors, were reproduced in a variety of colours and for different denominations. She was portrayed as a young woman until 1893, when, at age 73 in her widow's cap, she finally appeared as she really looked. For her Diamond Jubilee four years later, an unusual commemorative included two portraits, one from the beginning of her reign and the other from a later painting.

Because Queen Victoria's successor, Edward VII, had a relatively short reign (1901-1910), he made few appearances on postage stamps. The first was in 1903, showing the king in his coronation robes; the stamp itself was designed by his son, the future George V. Another notable stamp, featuring vignettes of both Edward and Queen Alexandra, was one of a set marking the 300th anniversary of the founding of Quebec and was Canada's first bilingual issue.

Les timbres à l'effigie du monarque régnant : une tradition philatélique

L'année 1851 marque l'entrée en scène de la philatélie au pays : la province du Canada émet son tout premier timbre-poste. Depuis, les souverains britanniques sont devenus des figures familières de notre album national. À mesure que le lien du Canada avec la Grande-Bretagne évolue et que les motifs de timbres-poste se diversifient, l'empire des monarques sur nos articles d'affranchissement s'amenuise. Il n'en reste pas moins que la couronne anglaise constitue une véritable tradition de la philatélie canadienne.

C'est à la reine Victoria que revient l'honneur, en 1851, d'être le premier souverain à orner un de nos timbres-poste. On lui consacre nombre d'émissions au cours du demi-siècle qui suit. À l'instar de ses successeurs, elle paraît en des couleurs et des tarifs différents. On la présente jeune femme jusqu'en 1893, année où, coiffée d'un voile de veuve, elle retrouve l'air qui sied à son âge de 73 ans. Quatre ans plus tard, le Canada souligne son jubilé de diamant par un motif hors du commun formé d'un doublet commémoratif de portraits de Victoria jeune et plus âgée.

Comme Édouard VII, héritier du trône, ne règne que de 1901 à 1910, on imprime peu de timbres-poste à son effigie. Il figure pour la première fois en 1903 paré de ses habits de couronnement – ce motif est l'œuvre de son fils George, futur George V –, puis, en 1908, avec son épouse, la reine Alexandra. Ce timbre fait partie du jeu qui souligne le tricentenaire de la ville de Québec, la première émission bilingue au Canada.

The British monarchy: a familiar theme of our national album.

La couronne britannique, thème familier de notre album national.

The reign of Edward's successor, George V, was not only longer (1910-1936) but more difficult, spanning as it did the First World War. Throughout his reign, Canadian stamps bore the portraits of King George in his admiral's uniform; many issued during the war included a one-cent war tax. A conscientious monarch, George V was also a devoted philatelist, with one of the finest private collections of stamps from Great Britain and her colonies. In fact, philately would become a family tradition, adopted first by the king's son, George VI, and later by his grand daughter, Elizabeth II.

The son of George V, Edward VIII, ascended the throne in 1936, only to abdicate less than a year later to marry Mrs. Wallis Simpson. As a result, he was never honoured on a stamp as a reigning monarch. The next heir to the throne was Edward's brother, George VI, who, like his father, would be faced with the tribulations of yet another world war. The

Plus long que celui de son prédécesseur, le règne de vingt-six ans de George V est marqué par de nombreuses difficultés, notamment la Première Guerre mondiale. Les timbres de l'époque le présentent vêtu de son uniforme d'amiral. Plusieurs portent une surtaxe de guerre de un cent. Monarque consciencieux, George V se double d'un philatéliste averti qui détient l'une des plus grandes collections privées de timbres de la Grande-Bretagne et de ses colonies. Il transmet d'ailleurs sa passion à son fils George VI puis à sa petite-fille Élisabeth II.

En 1936, Édouard VIII succède à son père George V, mais abdique quelques mois plus tard pour unir sa destinée à celle de Mme Wallis Simpson, de sorte que le monarque ne fait l'objet d'aucune émission. Son frère George VI prend la relève jusqu'en 1952 et, comme leur père, fait face à un conflit mondial. La visite royale qu'il effectue en Amérique du Nord en compagnie de la reine Élisabeth en

Specifications

Denomination:	40¢
Date of Issue:	28 December 1990
Design:	Yousuf Karsh, Tom Yakobina, Chris Candlish
Printer:	Ashton-Potter Limited
Quantity:	Continuous printing
Dimensions:	26 mm x 22 mm (horizontal)
Printing Process:	Lithography in five colours
Pane Layout:	100 stamps

Données techniques

Valeur :	0,40 $
Date d'émission :	28 décembre 1990
Design :	Yousuf Karsh, Tom Yakobina, Chris Candlish
Imprimeur :	Ashton-Potter Limited
Tirage :	impression continue
Format :	26 mm sur 22 mm (horizontal)
Procédé d'impression :	lithographie en cinq couleurs
Présentation de la feuille :	100 timbres

Royal Tour of North America by George VI and Queen Elizabeth in 1939, which would help to bolster relations with Britain, was featured on three commemorative issues that year. George VI appeared several times on definitives during his reign (1936-1952), dressed in various military uniforms and later in civilian dress.

In the nearly 40 years that Elizabeth II has reigned, 12 different portraits of her have graced Canadian stamps. This is the fourth time that this particular design, based on the photograph by Yousuf Karsh, has been used. For this year's issue, the stamp's designers, Chris Candlish and Tom Yakobina of Axion Design in Montreal, have opted for a rich amber background.

1939, voyage qui contribue à cimenter les liens avec la Grande-Bretagne, est immortalisée par trois émissions commémoratives. George VI, d'abord dans des uniformes militaires puis, plus tard, en costume, est l'une des figures royales qui domine notre album.

Depuis bientôt quarante ans que la reine Élisabeth II occupe le trône, douze portraits d'elle ont été reproduits sur nos timbres-poste. C'est la quatrième année qu'on a recours à cette photographie signée par Yousuf Karsh. Les graphistes Chris Candlish et Tom Yakobina, de la maison montréalaise *Axion Design*, ont opté en 1991 pour un riche arrière-plan ambre.

The Canadian Flag: The Etiquette of a National Symbol

After 26 years, our nation's flag is no longer a novelty. Whether it is flying high atop the Peace Tower or pinned to a lapel, the familiar maple leaf design can nowadays be easily taken for granted. Despite this, the flag is the one symbol that unites all Canadians, and because it identifies us as a sovereign nation and symbolizes our ethos or spirit, it is only natural and fitting that the flag be treated with respect and dignity.

The general public is little aware that there are rules governing every aspect of our flag and how it is used. To begin with, the flag must be made to strict standards based on specific dimensions and colours, and when flown near federal buildings, must be a certain size in relation to the height of the flagpole. It must always be in good condition and replaced with a new one if the fabric is torn, faded or soiled.

There is also specific protocol on how the flag is to be flown or displayed. It is preferable, for example, to raise the flag at sunrise and lower it at sunset. When flown with flags of other countries, it should be on a separate staff at the same height or higher and placed in a prominent position. When displayed in an auditorium, church or other public meeting place, the flag should be positioned a certain way in relation to the speaker or audience, not draped in front of a platform or speaker's table, and not allowed to touch the floor.

Cérémonial du drapeau canadien

Après vingt-six années d'existence, le drapeau du Canada fait partie de notre quotidien à un point tel qu'on remarque à peine sa présence. Pourtant, le drapeau constitue le symbole d'unité par excellence des Canadiens et Canadiennes : il nous identifie comme nation souveraine et reflète notre culture. Il est donc naturel que nous le traitions avec respect.

Chaque drapeau doit être fabriqué et utilisé selon des règles précises, les dimensions et les couleurs devant répondre à certaines normes. Par exemple, la taille d'un drapeau déployé près d'un établissement fédéral doit être proportionnelle à la hauteur du mât. Comme le drapeau doit toujours être en bon état, il faut le remplacer aussitôt que le tissu est déchiré ou souillé ou que les couleurs commencent à ternir.

Le déploiement de l'unifolié se fait à des moments privilégiés et suivant un protocole bien établi. Ainsi, il est préférable de le hisser au lever du soleil et de le descendre à la nuit tombante. Lorsqu'il est accompagné d'autres drapeaux, on doit l'arborer à un mât séparé, à la même hauteur ou plus haut que les autres, de manière qu'il soit bien visible. Dans une église ou un auditorium, entre autres, le drapeau est placé par rapport à l'orateur ou à l'auditoire; il ne doit pas être déployé à plat devant une tribune ou une table d'honneur, ni toucher le plancher.

The maple leaf: respect befitting a national symbol.

L'unifolié : une présence traitée avec les égards dus à un symbole.

The rules about lowering the flag to half-mast are quite complex. As a universal symbol of mourning, the flag is half-masted to mark the passing of a distinguished person. The Peace Tower flag – perhaps the most prominent and symbolic of all – is flown at half-mast upon the death of the Sovereign or any close relative, past and present governors general, a lieutenant-goveror, a Privy Councillor, or any Member of Parliament. At other buildings or in other jurisdictions, the guidelines for half-masting are too numerous to mention. In all cases, however, the flag must be raised to full-mast before it is hoisted to or lowered from half-mast.

The Canadian flag has been featured on many definitive stamp issues. With some colour and background changes to last year's issue, the stamps this year are again the work of Gottschalk + Ash of Toronto.

Les règles gouvernant la mise en berne de l'unifolié sont assez complexes. Par exemple, le drapeau de la Tour de la Paix – sans doute le plus visible et le plus symbolique de tous – flotte à mi-mât pour marquer le décès du souverain ou d'un de ses proches parents, du gouverneur général ou d'un prédécesseur, d'un lieutenant-gouverneur, d'un conseiller privé, d'un sénateur et d'un député. Les drapeaux d'édifices publics, notamment ceux qui sont déployés sur des propriétés de compétence autre que fédérale, sont assujettis à diverses règles protocolaires. Dans tous les cas cependant, le drapeau doit être hissé jusqu'au haut du mât avant d'être descendu.

Le drapeau canadien a fait l'objet de nombreux timbres courants. La maison torontoise *Gottschalk + Ash*, qui a signé les émissions précédentes sur le même thème, présente cette année une nouvelle toile de fond.

Specifications		Données techniques	
Denomination:	Stamp 40¢, Booklet – 50¢ (1 x 40¢, 1 x 5¢, 2 x 1¢ se tenant) Coil – $40 (100 x 40¢ se tenant) Quick Sticks – 40¢	Valeur:	timbre – 0,40 $ carnet de 0,50 $ (1 x 0,40 $, 1 x 0,05 $, 2 x 0,01 $ se tenant) rouleau de 40 $ (100 x 0,40 $ se tenant) timbrexpress – 0,40 $
Date of Issue:	28 December 1990 11 January 1991 (Quick Sticks)	Date d'émission:	28 décembre 1990 11 janvier 1991 (timbrexpress)
Design:	Gottschalk + Ash International	Design:	Gottschalk + Ash International
Printer:	Stamps – Canadian Bank Note Co. Ltd. Booklet – Ashton-Potter Limited Coil – Canadian Bank Note Co. Ltd. Quick Sticks – Ashton-Potter Limited	Imprimeur:	timbre – Canadian Bank Note Co. Ltd carnet – Ashton-Potter Limited rouleau – Canadian Bank Note Co. Ltd. timbrexpress – Ashton-Potter Limited
Quantity:	Continuous printing	Tirage:	impression continue
Dimensions:	Stamps – 22 mm x 26 mm (vertical) Booklet – 24 mm x 20 mm (horizontal) Coil – 24 mm x 20 mm (horizontal) Quick Sticks – 36 mm x 30 mm (horizontal)	Format:	feuille – 22 mm sur 26 mm (vertical) carnet – 24 mm sur 20 mm (horizontal) rouleau – 24 mm sur 20 mm (horizontal) timbrexpress – 36 mm sur 30 mm (horizontal)
Printing Process:	Stamps – Lithography in five colours Booklet – Lithography in five colours Coil – Steel engraving one colour Quick Sticks – Lithography in five colours	Procédé d'impression:	feuille – lithographie en cinq couleurs carnet – lithographie en cinq couleurs rouleau – gravure sur acier en une couleur timbrexpress – lithographie en cinq couleurs
Pane Layout:	Stamps – 100 stamps Booklets – 4 stamps Coil – 100 stamps Quick Sticks – 12 stamps	Présentation de la feuille et des feuillets:	100 timbres quatre timbres (carnet de 0,50 $) 100 timbres (rouleau) 12 timbres (timbrexpress)

Canadian Mammals: Wolverine, Harbour Porpoise and Peary Caribou

With its enormous claws and bone-crushing jaws, the wolverine (*Gulo gulo*) is the most formidable member of the weasel family. Despite its remarkable ability to bring down game 30 times its weight, the wolverine is much more a scavenger than a predator. In winter, it will search day and night for carcasses of large mammals such as whales, moose or caribou, and raid the kill of other animals or of trappers. Its large, thickly furred feet, which act like snowshoes, are a distinct advantage in the snowy regions it inhabits. True to its name (*gulo* means "glutton"), the wolverine will devour berries, wasp nests, bird eggs, frogs, porcupines – whatever is available. In the process, a wolverine will stake out a home territory of more than 500 square kilometres, making it one of the most solitary creatures in Canada.

The range of the harbour or common porpoise (*Phocæna phocæna*) is vast and covers the shallow waters along the Atlantic and Pacific coasts of Canada. Measuring just under two metres long, it is the smallest member of the Cetacean order (which includes whales and dolphins) and is therefore vulnerable to predatory sharks and killer whales. Although not as gregarious with humans as dolphins are, porpoises are friendly and communicative with one another. Their acute hearing and "echolocation" ability make it easy for them to identify each other and other objects in their path. To do so, they emit a series of rapid, high-pitched clicks which bounce back as an echo, enabling them to "hear" what the object looks like. With this sonar-like faculty, a hungry porpoise can locate a school of fish as far away as one kilometre.

Mammifères canadiens : le carcajou, le marsouin commun et le caribou de Peary

Avec ses énormes griffes et sa puissante mâchoire, le carcajou (*Gulo gulo*) est le membre le plus intimidant de la famille des mustélidés. Même s'il peut capturer des animaux faisant trente fois son poids, le carcajou est avant tout un nécrophage. En hiver, il passe ses jours et ses nuits à la recherche de carcasses de gros mammifères tels que les baleines, les orignaux et les caribous, et vole souvent le butin d'autres animaux ou de trappeurs. Ses larges pieds recouverts d'une épaisse fourrure lui permettent de se déplacer aisément dans la neige. Fidèle à son nom (*gulo* signifie «glouton»), le carcajou dévore tout ce qu'il trouve : baies, nids de guêpes, oeufs d'oiseaux, grenouilles, porcs-épics, etc. C'est une des espèces animales les plus solitaires du Canada, ne tolérant la présence d'aucun congénère sur son vaste territoire de plus de cinq cents kilomètres carrés.

Le marsouin commun ou marsouin des ports (*Phocæna phocæna*) se trouve aussi bien dans les eaux peu profondes de l'Atlantique que dans celles du Pacifique. Mesurant environ un mètre soixante, il est le plus petit des cétacés (ou baleines) et représente par conséquent une proie facile pour le requin et l'épaulard. Bien qu'il ne soit pas aussi sociable avec les humains que le dauphin, il est amical et communique beaucoup avec ses semblables. Grâce à son ouïe très fine et à un système d'écholocation, il peut facilement identifier ses congénères ou les objets qu'il rencontre. Pour ce faire, il émet une série de cris ultrasoniques très brefs produisant un écho qui, interprété par le cerveau, lui permet «d'entendre» à quoi ressemble l'objet devant lui. Ainsi, le marsouin peut repérer un banc de poissons à une distance d'un kilomètre.

DAY OF ISSUE · JOUR D'ÉMISSION
90-12-28
OTTAWA, ON, CANADA

The wolverine, harbour porpoise and Peary caribou.

Le carcajou, le marsouin commun et le caribou de Peary.

The Peary caribou (*Rangifer tarandus pearyi*) differs from the more commonly known barren-ground caribou in a number of evident respects. They are smaller and lighter, with whiter, thinner antlers, and are found only on the Arctic Islands and not on the mainland. Although they do travel between summer and winter ranges, they do not make the spectacular migrations that barren-ground caribou are famous for.

Like other caribou, though, the Peary wanders continually in search of new feeding grounds, especially where there are lichens. It is well suited to its habitat, with long, hollow hair that can keep it warm at -45°C and wide, scooped hooves used for digging large feeding craters in the snow.

These three stamps mark the end of the definitive series on mammals. Once again, they are the work of Toronto designer Brian Tsang.

Le caribou de Peary (*Rangifer tarandus pearyi*) diffère du caribou de la toundra à bien des égards. D'abord, il est plus petit et plus pâle, et ses bois sont plus blancs et plus effilés. De plus, contrairement au caribou de la toundra, que l'on rencontre sur le continent, il fréquente uniquement les îles de l'archipel Arctique, se déplaçant d'un gagnage saisonnier à l'autre. Les hardes de caribous de Peary ne sont pas aussi impressionnantes que celles qui ont rendu célèbre le caribou de la toundra. Cependant, comme les autres espèces de cervidés, le caribou de Peary est sans cesse en quête de nouveaux gagnages où il pourrait trouver le lichen dont il est si friand. L'hiver, ses poils longs et creux le gardent au chaud par des températures aussi basses que -45 °C et ses larges sabots en forme de croissants lui permettent de déterrer sa pâture préférée.

Ces trois timbres forment le dernier jeu de la série de timbres courants consacrée aux mammifères canadiens. Ils sont l'œuvre du graphiste torontois Brian Tsang.

Specifications				*Données techniques*	
Denomination:	46¢, 63¢, 80¢			*Valeur:*	0,46 $, 0,63 $, 0,80 $
Date of Issue:	28 December 1990			*Date d'émission:*	28 décembre 1990
Design:	Brian Tsang			*Design:*	Brian Tsang
Printer:	Ashton-Potter Limited			*Imprimeur:*	Ashton-Potter Limited
Quantity:	Continuous printing			*Tirage:*	impression continue
Dimensions:	32 mm x 26 mm (horizontal)			*Format:*	32 mm sur 26 mm (horizontal)
Printing Process:	Lithography in five colours			*Procédé d'impression:*	lithographie en cinq couleurs
Pane Layout:	46¢, 63¢, 80¢ – 50 stamps			*Présentation de la*	0,46 $, 0,63 $, 0,80 $ – 50 timbres
	46¢, 80¢ – 5 stamps (booklets)			*feuille et du feuillet:*	0,46 $, 0,80 $ – cinq timbres (carnet)

The Artists

The work of the artist as it applies to stamp design is a unique and specialized art. Working closely with Canada Post's Stamp Products Division, the artists who collaborate on stamp designs – illustrators, graphic designers, photographers – are all expected to meet the highest professional standards. They must ensure not only the utmost accuracy of the stamp's subject matter, but also the visual appeal of their artwork when reduced to 10 percent of its original size. This year, Canada Post is paying tribute to those whose combined talents go into creating these miniature works of art.

Les artistes

Le travail hautement spécialisé de l'artiste dont l'œuvre sert à la création d'un motif de timbre-poste est unique. Illustrateurs, photographes et graphistes qui travaillent en étroite collaboration avec la division des Produits philatéliques de la Société canadienne des postes doivent respecter des critères précis afin d'obtenir un produit d'excellente qualité. Non seulement doivent-ils s'assurer de la fidélité de leur œuvre, mais ils doivent aussi veiller à son attrait visuel une fois réduite à dix pour cent de sa dimension originale! Cette année, la Société canadienne des postes rend hommage au talent des artistes qui produisent les vignettes, des œuvres d'art miniatures.

Canadian Physicians
Page 8

Médecins canadiens
Page 8

René Milot
Born in Trois-Rivières, Quebec
Canada
René Milot Illustrations
Toronto, Ontario, Canada

René Milot
Né à Trois-Rivières (Québec)
Canada
René Milot Illustrations
Toronto (Ontario), Canada

Prehistoric Life in Canada
Page 10

La vie préhistorique au Canada
Page 10

Larry Bloss
Born in London, England
Bloss & Moore
Burlington, Ontario, Canada

Larry Bloss
Né à Londres, Angleterre
Bloss & Moore
Burlington (Ontario), Canada

Rolf Harder
Born in Hamburg, Germany
Rolf Harder & Assoc. Inc.
Montreal, Quebec, Canada

Rolf Harder
Né à Hambourg, Allemagne
Rolf Harder & Assoc. Inc.
Montréal (Québec), Canada

The Artists / Les artistes

Masterpieces of Canadian Art
Page 12

Chefs-d'œuvre de l'art canadien
Page 12

Pierre-Yves Pelletier
Born in Montreal, Quebec
Canada
Pierre-Yves Pelletier Design inc.
Montreal, Quebec, Canada

Pierre-Yves Pelletier
Né à Montréal (Québec)
Canada
Pierre-Yves Pelletier Design inc.
Montréal (Québec), Canada

Public Gardens
Page 14

Jardins publics
Page 14

Gerard Gauci
Born in Toronto, Ontario
Canada
Works in Toronto, Ontario
Canada

Gerard Gauci
Né à Toronto (Ontario)
Canada
Travaille à Toronto (Ontario)
Canada

David Wyman
Born in Newport, Wales, U. K.
David Wyman Design
Toronto, Ontario, Canada

David Wyman
Né à Newport,
Pays de Galles, R.-U.
David Wyman Design
Toronto (Ontario), Canada

Canada Day
Page 16

La fête du Canada
Page 16

Lisa Miller
Born in Kingston, Ontario
Canada
Lisa Miller Design Associates
Toronto, Ontario, Canada

Lisa Miller
Née à Kingston (Ontario)
Canada
Lisa Miller Design Associates
Toronto (Ontario), Canada

Jean-Pierre Veilleux
Born in Trois-Rivières, Québec,
Canada
Image & Icon
Toronto, Ontario, Canada

Jean-Pierre Veilleux
Né à Trois-Rivières (Québec)
Canada
Image & Icon
Toronto (Ontario), Canada

Laurie Lafrance
Born in Shaunavon,
Saskatchewan, Canada
Laurie Lafrance Illustration
Toronto, Ontario, Canada

Laurie Lafrance
Née à Shaunavon
(Saskatchewan), Canada
Laurie Lafrance Illustration
Toronto (Ontario), Canada

Roger Séguin
(not pictured)
Born in Ottawa, Ontario
Canada
Now works in Japan

Roger Séguin
(N'est pas photographié)
Né à Ottawa (Ontario)
Canada
Travaille maintenant au Japon

Small Craft
Page 18

Embarcations
Page 18

Bernard Leduc
Born in Montreal, Quebec
Canada
Bernard Leduc illustrateur
Montreal, Quebec, Canada

Louis-André Rivard
Born in Montreal, Quebec
Canada
Bellemare, Rivard et Associés
Limitée
Montreal, Quebec, Canada

Bernard Leduc
Né à Montréal (Québec)
Canada
Bernard Leduc illustrateur
Montréal (Québec), Canada

Louis-André Rivard
Né à Montréal (Québec)
Canada
Bellemare, Rivard et Associés
Limitée
Montréal (Québec), Canada

Canada's River Heritage
Page 20

Fleuves et rivières
du patrimoine canadien
Page 20

Malcolm Waddell
Born in Birmingham, England
Eskind Waddell Graphic
Design Consultants
Toronto, Ontario, Canada

Jan Waddell
Born in Solihull, England
Eskind Waddell Graphic
Design Consultants
Toronto, Ontario, Canada

Malcolm Waddell
Né à Bermingham, Angleterre
Eskind Waddell Graphic
Design Consultants
Toronto (Ontario), Canada

Jan Waddell
Née à Solihull, Angleterre
Eskind Waddell Graphic
Design Consultants
Toronto (Ontario), Canada

Arrival of the Ukrainians
Page 22

L'arrivée des Ukrainiens
Page 22

Tiit Telmet
Born in Tallinn, Estonia
Telmet Design Associates
Toronto, Ontario, Canada

Joseph Gault
Born in Toronto, Ontario
Canada
Telmet Design Associates
Toronto, Ontario, Canada

Tiit Telmet
Né à Tallinn, Estonie
Telmet Design Associates
Toronto (Ontario), Canada

Joseph Gault
Né à Toronto (Ontario)
Canada
Telmet Design Associates
Toronto (Ontario), Canada

Dangerous Occupations
Page 24

Occupations dangereuses
Page 24

Suzanne Duranceau
Born in Saint-Laurent, Quebec
Canada
Suzanne Duranceau
illustratrice inc.
Montreal, Quebec, Canada

Suzanne Duranceau
Née à Saint-Laurent (Québec)
Canada
Suzanne Duranceau
illustratrice inc.
Montréal (Québec), Canada

Folklore
Page 26

Folklore
Page 26

Ralph Tibbles
Born in Toronto, Ontario
Canada
Ralph Tibbles Design, Inc.
Toronto, Ontario, Canada

Ralph Tibbles
Né à Toronto (Ontario)
Canada
Ralph Tibbles Design, Inc.
Toronto (Ontario), Canada

Deborah Drew-Brook
Born in Toronto, Ontario
Canada
Drew-Brook-Cormack Assoc.
Downsview, Ontario, Canada

Deborah Drew-Brook
Née à Toronto (Ontario)
Canada
Drew-Brook-Cormack Assoc.
Downsview (Ontario), Canada

Allan Cormack
Born in Palmerson, Ontario
Canada
Drew-Brook-Cormack Assoc.
Downsview, Ontario, Canada

Allan Cormack
Né à Palmerson (Ontario)
Canada
Drew-Brook-Cormack Assoc.
Downsview (Ontario), Canada

Queen's University
Page 28

L'université Queen's
Page 28

Richard Kerr
Born in Edmonton, Alberta
Canada
DesignSource Communication
and Design Consultants
Toronto, Ontario, Canada

Richard Kerr
Né à Edmonton (Alberta)
Canada
DesignSource Communication
and Design Consultants
Toronto (Ontario), Canada

Les Holloway
Born in Indianapolis, U.S.A.
DesignSource Communication
and Design Consultants
Toronto, Ontario, Canada

Les Holloway
Né à Indianapolis, États-Unis
DesignSource Communication
and Design Consultants
Toronto (Ontario), Canada

Christmas   Noël
Page 30   Page 30

Steven Marshall Slipp   **Steven Marshall Slipp**
Born in Toronto, Ontario   Né à Toronto (Ontario)
Canada   Canada
G.D.A. Inc.   G.D.A. Inc.
Halifax, N.S., Canada   Halifax (N.-É.), Canada

Basketball   Le basket-ball
Page 32   Page 32

Tiit Telmet   **Tiit Telmet**
Born in Tallinn, Estonia   Né à Tallinn, Estonie
Telmet Design Associates   Telmet Design Associates
Toronto, Ontario, Canada   Toronto (Ontario), Canada

Joseph Gault   **Joseph Gault**
Born in Toronto, Ontario   Né à Toronto (Ontario)
Canada   Canada
Telmet Design Associates   Telmet Design Associates
Toronto, Ontario, Canada   Toronto (Ontario), Canada

Charles Reynolds   **Charles Reynolds**
Born in Lisbon, Portugal   Né à Lisbonne, Portugal
Telmet Design Associates   Telmet Design Associates
Toronto, Ontario, Canada   Toronto (Ontario), Canada

The Second World War   La Seconde Guerre mondiale
Page 34   Page 34

Jean-Pierre Armanville   **Jean-Pierre Armanville**
Born in Paris, France   Né à Paris, France
Now works in France   Travaille maintenant en France

Pierre-Yves Pelletier   **Pierre-Yves Pelletier**
Born in Montreal, Quebec   Né à Montréal (Québec)
Canada   Canada
Pierre-Yves Pelletier Design inc.   Pierre-Yves Pelletier Design inc.
Montreal, Quebec, Canada   Montréal (Québec), Canada

The Artists   Les artistes

Queen Elizabeth II   La reine Élisabeth II
Page 36   Page 36

Tom Yakobina
Born in Montreal, Quebec
Canada
Axion Design Inc.
Montreal, Quebec, Canada

Yousuf Karsh
Born in Mardin, Armenia
Karsh Photographic Studio
Ottawa, Ontario, Canada

Chris Candlish
Born in Montreal, Quebec
Canada
Axion Design Inc.
Toronto, Ontario, Canada

Tom Yakobina
Né à Montréal (Québec)
Canada
Axion Design Inc.
Montréal (Québec), Canada

Yousuf Karsh
Né à Mardin, Arménie
Karsh Photographic Studio
Ottawa (Ontario), Canada

Chris Candlish
Né à Montréal (Québec)
Canada
Axion Design Inc.
Toronto (Ontario), Canada

The Canadian Flag   Le drapeau du Canada
Page 38   Page 38

Stuart Ash
Born in Hamilton, Ontario
Canada
Gottschalk + Ash International
Toronto, Ontario, Canada

Peter Adam
Born in Switzerland
Gottschalk + Ash International
Toronto, Ontario, Canada

Katalin Kovats
Born in Szödliget, Hungary
Gottschalk + Ash International
Toronto, Ontario, Canada

Stuart Ash
Né à Hamilton (Ontario)
Canada
Gottschalk + Ash International
Toronto (Ontario), Canada

Peter Adam
Né en Suisse
Gottschalk + Ash International
Toronto (Ontario), Canada

Katalin Kovats
Née à Szödliget, Hongrie
Gottschalk + Ash International
Toronto (Ontario), Canada

Canadian Mammals   Mammifères canadiens
Page 40   Page 40

Brian Tsang
Born in Hong Kong
Brian Tsang Visual
Communications Inc.
North York, Ontario, Canada

Brian Tsang
Né à Hong-Kong
Brian Tsang Visual
Communications Inc.
North York (Ontario), Canada

	Photo credits	Images
Jacket/Jaquette	Tilt TPS/Superstock Ministère de la chasse et de la pêche du Québec, Fred Klus	Tilt TPS/Superstock Ministère de la chasse et de la pêche du Québec, Fred Klus
1	Tilt	Tilt
4-7	Tilt	Tilt
8-9	Queen's University Archives Montreal Neurological Institute Grimes Photography Inc. National Archives of Canada C 83040	Archives de l'université Queen's Institut neurologique de Montréal Grimes Photography Inc. Archives nationales du Canada C 83040
10-11	Richard Poissant Ministère de la chasse et de la pêche du Québec, Fred Klus Serge Carli	Richard Poissant Ministère de la chasse et de la pêche du Québec, Fred Klus Serge Carli
12-13	National Gallery of Canada British Columbia Archives and Records Service	Musée des beaux-arts du Canada British Columbia Archives and Records Service
14-15	Industry, Science and Technology Canada Montreal Botanical Garden, Roméo Meloche	Industrie, Sciences et Technologie Canada Jardin botanique de Montréal, Roméo Meloche
16-17	Photos Features Limited Industry, Science and Technology Canada National Capital Commission, D. Drever	Photos Features Limited Industrie, Sciences et Technologie Canada Commission de la capitale nationale, D. Drever
18-19	Canadian Heritage Rivers Secretariat International Laser Class Association National Archives of Canada	Secrétariat des rivières du patrimoine canadien International Laser Class Association Archives nationales du Canada
20-21	Canadian Heritage Rivers Secretariat, Tom Hall	Secrétariat des rivières du patrimoine canadien, Tom Hall
22-23	National Gallery of Canada Industry, Science and Technology Canada Manitoba Archives, W.J. Sisler	Musée des beaux-arts du Canada Industrie, Sciences et Technologie Canada Les Archives du Manitoba, W. J. Sisler
24-25	Toronto Fire Department, Canadian Ski Patrol, Philippe Rivest Canadian Armed Forces Nepean Police Department	Service des incendies de Toronto Patrouille canadienne de ski, Philippe Rivest Les Forces armées canadiennes Service de police de Nepean
26-27	Canadian Museum of Civilization and Savanik Co-operative Association Limited Musée du Québec, Patrick Altman Robert Lawson, Little Brown and Company W.J. Phillips, Longmans, Green and Company	Musée canadien des civilisations et Savanik Co-operative Association Limited Musée du Québec, Patrick Altman Robert Lawson, Little Brown and Company W. J. Phillips, Longmans, Green and Company
28-29	Queen's University Archives	Archives de l'université Queen's
30-31	Superstock/Three Lions Superstock/David Bell Eaton Montreal	Superstock/Three Lions Superstock/David Bell Eaton Montréal
32-33	Athlete Information Bureau and Canadian Olympic Association, J. Merrithew, Tim O'Lett National Archives of Canada C 79992, PA 50440	Service information-athlètes et Association olympique canadienne, J. Merrithew, Tim O'Lett Archives nationales du Canada C 79992, PA 50440
34-35	National Archives of Canada PA 133631, PA 116928 Nicolas Morant, PA 136811 Laurie A. Audrain, PA 80496	Archives nationales du Canada PA 133631, PA 116928 Nicolas Morant, PA 136811 Laurie A. Audrain, PA 80496
36-37	Canada Post Corporation National Archives of Canada PA 148514 Fednews/W. Howard Measures Collection, PA 130674 National Film Board, PA 25459 W.J. Topley	Société canadienne des postes Archives nationales du Canada PA 148514 Fednews/W. Howard Measures Collection, PA 130674 Office national du film, PA 25459 W. J. Topley
38-39	Industry, Science and Technology Canada National Capital Commission, D. Drever	Industrie, Sciences et Technologie Canada Commission de la capitale nationale, D. Drever
40-41	Canadian Parks Service, W. Lynch F. Gohier, Jacana-Publiphoto Industry, Science and Technology Canada Gérard Lacz, Publiphoto	Service canadien des parcs, W. Lynch F. Gohier, Jacana-Publiphoto Industrie, Sciences et Technologie Canada Gérard Lacz, Publiphoto
42-47	Richard Robitaille	Richard Robitaille